tudo sobre
gatos

Para Sara e Lawrence

Agradecimentos

O Autor, o artista e os editores desejam expressar seus agradecimentos ao grande número de criadores e proprietários de gatos que muito contribuíram na preparação deste volume. São particularmente gratos ao Governing Council of the Cat Fancy, por ter permitido a citação de dados referentes aos padrões oficiais para as diferentes raças; à sra. Grace Pound, que muito contribuiu para a realização de inúmeros livros sobre gatos, cuja amabilidade possibilitou o estabelecimento de contatos com muitos criadores americanos; à senhora Anne Cumbers, cujas excelentes fotografias propiciaram ao artista valiosa fonte de referência para complementar seus estudos sobre a natureza; ao doutor Frank Manolson, pela inesgotável fonte de conhecimentos sobre veterinária; e à senhora Stephe Bruin, por sua constante atenção e emissão de opiniões. Um agradecimento especial deve também ser consignado à senhora Blanche V. Smith, editora de raças da revista *Cat Magazine*, e a Patrick L. Oliver; à senhora Grace M. Clute, da Cat Fanciers Federation; à senhora Fern Husky, da American Cat Fanciers Association; à Cat Fanciers Association Inc.; pelas informações que forneceram sobre as raças de sua especialização, às seguintes pessoas: senhora Nancy Lane, de Newcastle, Delaware (Exótico de pêlo curto); senhorita Gisela Stoschek, de Van Etten, Nova York (Angorá); senhorita Ann Baker, de Riverside, Carolina ("Boneca de Trapo"); senhora Carolyn McLaughlin, de Chicago (Bobtail japonês); senhora Harry Mague, de Gillette, Nova Jersey (Somali); senhorita S. Birch, de Hove (Balinês); senhora Nancy Hilleard e senhorita Barbara Stock (Rex); senhora Margaret Manolson, à senhora J. Pruce, à senhorita Lydia Segrave e ao casal Wilding pela sua inestimável contribuição.

Sobre o autor:

Howard Loxton, autor de um grande número de livros acerca de gatos e seus cuidados, vive em Londres e tem um par de siameses. Durante um ataque aéreo, um gatinho preto apegou-se a ele. Desde então, Loxton tornou-se um felinófilo devotado.

Sobre o artista:

Peter Warner, artista, pintor e ilustrador, é formado pela Royal Academy Schools. É famoso por suas ilustrações sobre temas de História Natural, freqüentemente fazendo seus esboços a partir da observação da vida dos animais da zona rural de Kent, próxima à sua casa. Seu Siamês Seal Point e três gatos mestiços também lhe servem de modelo.

HOWARD LOXTON

tudo sobre gatos

um guia mundial de 100 raças

Ilustrador
PETER WARNER
Tradutor
JOSÉ DE ANGELIS CÔRTES
Professor-adjunto da Faculdade de Medicina
Veterinária e Zootecnia da
Universidade de São Paulo

Martins Fontes
São Paulo 2000

Esta obra foi publicada originalmente em inglês com o título
A GUIDE TO THE CATS OF THE WORLD.
Copyright © 1975 by Elsevier Publishing Projects S.A., Lausanne.
Copyright © 1982, Livraria Martins Fontes Editora Ltda.,
São Paulo, para a presente edição.

1ª edição
setembro de 1982
2ª edição
agosto de 2000

Tradução
JOSÉ DE ANGELIS CÔRTES

Preparação do original
Eliane Rodrigues de Abreu
Revisão gráfica
Maria Luiza Fravet
Ivete Batista dos Santos
Produção gráfica
Geraldo Alves
Paginação/Fotolitos
Studio 3 Desenvolvimento Editorial (6957-7653)

Dados Internacionais de Catalogação na Publicação (CIP)
(Câmara Brasileira do Livro, SP, Brasil)

Loxton, Howard
 Tudo sobre gatos : um guia mundial de 100 raças / Howard Loxton ; ilustrador Peter Warner ; tradutor José de Angelis Côrtes. – 2ª ed. – São Paulo : Martins Fontes, 2000.

 Título original: A guide to the cats of the world.
 ISBN 85-336-1301-6

 1. Gatos 2. Gatos – Criação I. Warner, Peter, 1939- II. Título.

00-3253   CDD-636.8

Índices para catálogo sistemático:
1. Gatos : Criação   636.8

Todos os direitos para a língua portuguesa reservados à
Livraria Martins Fontes Editora Ltda.
Rua Conselheiro Ramalho, 330/340
01325-000 São Paulo SP Brasil
Tel. (11) 239-3677 Fax (11) 3105-6867
e-mail: info@martinsfontes.com
http://www.martinsfontes.com

ÍNDICE

A família do gato 6
Os gatos e o homem 20
O gato doméstico 29
O gato em casa 40
A criação de gatos 65
Concursos e exposições 78
Raças e genealogias 83
Descrição de algumas raças e padrões de pelagem 87
    Gatos sem pêlos 88
    Gatos de pêlo curto 90
    Gatos exóticos de pêlo curto 113
    Gatos de pêlo longo 148
Índice alfabético das raças 192

A FAMÍLIA DO GATO
(*FELIDAE*)

Os primeiros representantes da família do gato surgiram de 8 a 10 milhões de anos atrás, muito antes, portanto, do aparecimento do homem na face da Terra. Os paleontologistas descrevem um animal carnívoro muito assemelhado à doninha, ao qual denominam *Miacis*. Este animal viveu há cerca de 50 milhões de anos, tinha um corpo longo e pernas curtas e foi, provavelmente, o ancestral do cão e do urso, e, do mesmo modo, predecessor do gato.

Dez milhões de anos mais tarde, um ramo de seus descendentes deu origem ao primeiro carnívoro assemelhado ao gato (isto ocorreu 10 milhões de anos antes do aparecimento do primeiro cão) e daí surgiu, eventualmente, toda a gama de animais que hoje conhecemos como pertencentes à família do gato. Aquele primeiro gato, que viveu há 40 milhões de anos, era um animal do Velho Mundo e devia estar extremamente bem adaptado a seu ambiente, uma vez que permaneceu relativamente imutável numa época em que outros mamíferos estavam evoluindo rapidamente. É conhecido com o nome de *Dinictis*, tinha o tamanho aproximado ao do lince e assemelhava-se muito ao gato moderno; apresentava, contudo, seus dentes caninos muito mais desenvolvidos e seu cérebro muito menor.

Parece que os descendentes do *Dinictis* evoluíram em duas direções. Em uma delas os dentes caninos tornaram-se ainda maiores. Este grupo inclui o gênero *Machairodus*, ou gatos com caninos em forma de sabre; é possível que o *Dinictis* pertença a este gênero e que tenha havido um ancestral comum a este e a todos os gatos surgidos posteriormente. O segundo grupo tinha dentes caninos menores e engloba a família *Felidae*, à qual pertencem todos os gatos atuais.

No Rancho La Brea, no sul da Califórnia, próximo a Los Angeles, há um grupo de galerias de asfalto das quais se têm recolhido muitos exemplares de grandes gatos pré-históricos. No Pleistoceno, existiam lagoas de água doce, formadas sobre as lagoas de alcatrão, que afluíam debaixo do solo. Animais pequenos que vinham beber água eram freqüentemente aprisionados na lama de asfalto que, quando seca, se assemelha a uma grande camada pegajosa de papel pega-mosca. Animais carnívoros, idosos ou machucados, ou aqueles mais jovens e inexperientes, que achavam ter encontrado uma presa fácil representada por um pequeno animal aprisionado na lama, eram também atingidos e seus ossos ficaram preservados no asfalto. A espécie norte-americana *Smilodon californicus*, um dos gatos dentes-de-sabre mais avançados, tem sido encontrada em grande número. Os longos dentes caninos que se curvavam além da mandíbula inferior, quando a boca permanecia fechada, eram utilizados não para morder a presa mas, sim, para um golpe violento e contundente. Restos de *Felis atrox*, ou leão americano, também são encontrados no Rancho La Brea, embora correspondam a apenas 1/30 dos anteriores, provavelmente porque eram mais inteligentes. Este possuía um estreito parentesco com o leão da caverna europeu, que sobreviveu até o século V antes de Cristo, quando alguns deles foram mencionados no ataque às carroças de carga de Xerxes, época em que seu exército invadiu a Macedônia. O último *Smilodon* californiano viveu há cerca de 13 mil anos mas os dentes-de-sabre desapareceram da Europa muito mais cedo. Os dentes-de-sabre eram adaptados para a caça de animais, tais como os mamutes e os mastodontes, que confiavam principalmente em seu tamanho e couro grosso, para sua proteção, mas tinham pouca defesa contra os dentes cortantes dos gatos dentes-de-sabre. Quando esses mamíferos terrestres gigantes pereceram, os gatos gigantes altamente especializados também desapareceram. As 36 espécies de gatos que conhecemos atualmente desenvolveram-se a partir de descendentes menos especializados de *Dinictis*, os *Felidae*.

Smilodon californicus *na lagoa de alcatrão do Rancho La Brea.*

Os gêneros sobreviventes

Os membros da família do gato foram adaptados e diversificados para se adequar à grande variação de climas e ambientes, mas todos eles são carnívoros, ágeis e eficientes caçadores. Alguns são solitários; outros, como os leões em particular, vivem freqüentemente em grandes grupos. Seu tamanho varia consideravelmente, do avantajado tigre ao gato de cabeça chata de 2 quilos. No passado, a família do gato era dividida em vários gêneros diferentes, mas pesquisa recente das formas extintas sugere que as diferenças entre eles têm pouco significado, e muitas autoridades agrupam-nos atualmente no mesmo gênero, mas com apenas uma única exceção, a chita, que foi colocada num gênero próprio, *Acinonyx*, por ser diferente de outros gatos sob vários aspectos, entre eles, suas garras não-retráteis. Os grandes gatos (uma vez considerados num gênero separado, *Panthera*) podem rugir, ao passo que os gatos pequenos possuem vozes com tonalidade mais altas. Os primeiros – que possuem cabeças maiores em proporção ao corpo – precisam respirar a cada rugido; os gatos pequenos, por sua vez, podem ronronar quase que continuamente.

O **leão** (*Panthera leo*) é o mais forte dos gatos. O corpo longo descansa sobre patas curtas e poderosamente musculosas. Diferente de outros gatos, a maioria dos leões machos possui uma juba exuberante cobrindo a cabeça e os ombros, continuando como uma franja por baixo da barriga. Pode ser de um louro-prateado ou todo sombreado de marrom-avermelhado a preto e não completamente crescida até que o leão atinja cerca de 5 anos de idade. As fêmeas, que não possuem juba, são também menores e mais leves na constituição, mas são elas que mais freqüentemente matam durante a caçada. Os leões são animais sociáveis e vivem em família, constituída por um macho mais idoso, várias fêmeas, machos adolescentes e filhotes novos, que normalmente somam cerca de oito, mas que podem atingir até trinta, onde há terrenos abertos com caça abundante. Suas caçadas são freqüentemente planejadas com cuidado, com uma parte perseguindo um rebanho de herbívoros para uma cilada armada pelo resto do bando, aguardando contra o vento. Os filhotes de leões nascem com manchas que desaparecem gradualmente à medida que crescem, embora possam persistir na maturidade, particularmente nas leoas. Eles começam a ser desmamados com cerca de 8 semanas de idade mas não são capazes de apreender sua própria presa até que atinjam a idade de aproximadamente 2 anos. Como são os últimos do bando a se alimentar, muitos filhotes morrem nesses anos iniciais.

Os leões já viveram na Europa, na África e no oeste da Ásia, mas agora estão limitados à África central, no Kruger National Park, na África do Sul, e no santuário da floresta de Gir, no noroeste da Índia, que é o único lugar conhecido onde o leão asiático ainda sobrevive.

O **tigre** (*Panthera tigris*) é encontrado da Ásia central e nordeste da China, através da Malásia e Índia, bem como parte do Irã, ao sul de Bali. O tigre siberiano (*Panthera tigris longipilis*), com pêlos longos, o maior de seu gênero, pode medir cerca de 4,29 metros, do nariz à extremidade da causa, mas o tigre médio, como o leão médio, provavelmente é inferior a 2,90 metros no seu todo. Geralmente, eles são conduzidos para uma vida solitária, embora existam rela-

Leão africano

Tigre

Leopardo

tos de tigres caçando aos pares, e são geralmente de hábitos noturnos. As ninhadas normalmente consistem de dois a quatro filhotes, embora possam ter mais, e já seguem a mãe nas caçadas quando atingem 5 ou mais semanas de idade. À medida que crescem, a área em que caçam aumenta e os filhotes tomam parte cada vez mais ativa na matança, até que a família se desagrega quando alcançam de 2 a 3 anos de idade.

As manchas variam consideravelmente de animal para animal e ocasionalmente tem aparecido uma forma incomum do tigre branco. Este não é um albino, mas um "diluído extremo": a cor-base é creme, manchada de cinza-claro ou faixas marrons, a pelagem das patas e do nariz é de coloração rosa e os olhos são de cor azul-glacial.

O **leopardo** (*Panthera pardus*) é o terceiro maior entre os grandes felídeos, alcançando em média 2,50 metros, do nariz à ponta da cauda. Com exceção do gato doméstico, os leopardos possuem uma distribuição geográfica mais ampla que qualquer outro membro da família do gato, cobrindo a maior parte da África ao sul do Saara, cruzando da Ásia a Arábia, do Cáucaso à China e da Coréia à Indonésia. Normalmente, eles caçam sozinhos, embora grupos de até seis tenham sido registrados. São quase inteiramente de hábitos noturnos nas regiões em que são caçados pelo homem, mas em outras partes são vistos de manhã bem cedo ou ao entardecer. São bons trepadores e sua pele manchada proporciona uma excelente camuflagem entre os salpicados de folhas. No caso da variedade preta ou melanística, comumente conhecida como pantera, as manchas ainda podem ser distinguidas sob certas luzes. Durante a caçada, freqüentemente, deitam-se nos galhos de árvores para cair sobre as presas embaixo e carregam suas caças, que podem ser tão grandes quanto eles, para cima das árvores, alojando-as nas forquilhas, fora do alcance dos ladrões. Quando a presa é abundante, como no meio das migrações do *Wildbeest*, eles constroem um estoque apreciável de alimentos. Normalmente, existem três filhotes na ninhada, mas a taxa de sobrevivência é baixa e o número de leopardos está diminuindo cada vez mais.

O **leopardo das neves** (*Uncia uncia*) é uma espécie intimamente aparentada, que vive próxima à fronteira da neve e possui uma grossa pelagem para protegê-lo do frio. Vive nas regiões montanhosas pouco habitadas da Ásia desde Hindu Kush através do Tibete, entre as províncias de Tsinghai e Szechwan da China e as montanhas Altai. Caçando à noite ou ao entardecer, suas presas são os cabritos selvagens, carneiros, veados, gazelas-da-pérsia e pequenos mamíferos que vivem nas pastagens rochosas situadas na linha divisória da área coberta de vegetação e a área nevada, e no verão alcança os campos de 4290 metros acima do nível do mar. As ninhadas, de dois a quatro filhotes, nascem na primavera e permanecem com suas mães até cerca de 1 ano de idade.

O **jaguar** ou onça (*Panthera onça*) é o único grande gato sobrevivente do Novo Mundo. É encontrado desde o sul da Califórnia, o Arizona e o golfo do México até o sul, aos pampas da Argentina e Rio Negro, e seu território parece limitar-se mais à disponibilidade das presas que no clima ou terreno, pois é encontrado tanto nos altos Andes como nos pântanos encharcados. Normalmente, ele é um caçador solitário, embora gregário na época da reprodução, quando

Leopardo das neves

Clouded leopard ou leopardo malhado

Jaguar

grupos de oito ou mais já foram observados. É um bom trepador e um exímio nadador. Assim como caça veados, cotias, antas, caititus, capivaras e animais que vivem em árvores, como macacos, ele também pode se alimentar de tartarugas, jacarés, peixes e crocodilos pequenos.

O *clouded leopard* ou leopardo malhado (*Neofelis nebulosa*) é o maior entre todos os gatos roncadores da Ásia. É um exímio trepador e é encontrado nas florestas bastante densas, onde permanece escondido nos galhos durante o dia, e caça à noite. Encontrado no Nepal, em direção à China e Formosa, e ao sul, até Java, seu corpo pode atingir de 82 centímetros a 1,15 metro de comprimento, com mais de 1 metro de cauda. Acredita-se que se alimentem de pequenos mamíferos, pois raramente são vistos e pouco se conhece a respeito de seus hábitos de caça ou de sua reprodução.

A **chita** ou guepardo (*Acinonyx jubatus*), que constitui um gênero isolado, diferencia-se de outros membros da família do gato porque suas garras não são retráteis depois da idade aproximada de 10 semanas. Compartilha com os gatos pequenos os aparelhos vocais, que os habilitam a ronronar continuamente, mas deita-se no chão com suas patas estendidas para a frente, como os grandes felinos, ao passo que os gatos pequenos normalmente dobram-nas. A chita caça durante o dia, perseguindo as presas e derrubando-as, em vez de se aproximar sorrateiramente delas, pois é o animal de quatro patas sabidamente mais veloz do mundo e tem pouco a recear de seus predadores. Diz-se que as chitas podem acelerar a 72,4 quilômetros por hora em 2 segundos apenas e, em curtas distâncias, podem alcançar velocidade acima de 96 quilômetros por hora.

Os guepardos são encontrados normalmente ao norte da África e através do Irã e Afeganistão, na Índia e no sul da África. Tais áreas propiciam campos abertos, onde podem usar, com vantagem, sua velocidade, e onde há bastante capim para alimentar suas presas e quantidade suficiente de arbusto para lhes dar um pouco de cobertura durante a caçada. Atualmente, eles sobrevivem em poucas localidades da Ásia, em muitas partes da África, especialmente no norte, mas têm-se tornado bastante raros. A chita adulta tem cerca de 1,50 metro de comprimento com mais outros 82 centímetros de cauda. A cabeça é pequena, com mandíbulas menos poderosas que as de outros gatos grandes, mas sua constituição pequena e leve incorpora pescoço, lombo e membros bastante musculosos. Os filhotes, nascidos em ninhadas de dois a quatro, possuem pêlos longos e lanosos de um cinza-esfumaçado com uma juba prateada correndo sobre as costas. A pelagem, que no adulto tem a cor-base de um amarelo-avermelhado interrompido por manchas de um preto-sólido, começa a se desenvolver por volta de 10 semanas de idade. Em épocas passadas e mesmo atuais, as chitas têm sido treinadas para caçar como se fossem cães de caça de perseguição.

O **puma** (*Felis concolor*), também conhecido por suçuarana e leão-da-montanha, habita as Américas, da Colúmbia Britânica à Terra do Fogo. Pode ser encontrado em desertos, planícies, montanhas e florestas (embora não seja comum nas florestas equatoriais), apresentando pelo menos quinze variações diferentes. Os maiores vivem em climas mais frios e os menores, nos trópicos. Um macho grande pode medir 1,65 metro mais 1 metro de cauda, tornando-se o maior mem-

bro entre os grupos dos "pequenos felinos". Os animais maiores caçam presas maiores, especialmente os veados, mas raramente atacam o homem, pois são muito cautelosos e têm-se refugiado do avanço da civilização. A pelagem pode variar de um marrom-claro a escuro, e os filhotes nascem com anéis pretos na cauda e com manchas escuras que desaparecem à medida que crescem. Normalmente, os jovens permanecem com a mãe até atingir a idade de 2 anos e, embora os irmãos possam permanecer juntos por um período mais longo, o puma adulto leva uma vida solitária.

O **lince** é o único felino nativo tanto no Velho Mundo (*Lynx lynx*) como no Novo Mundo (*Lynx canadensis*). De tamanho médio, com cerca de 1 a 1,15 metro de comprimento, mais 12,7 a 20,3 centímetros de cauda, sua pelagem varia de um cinza-areia a um vermelho-castanho-amarelado com o fundo branco. No verão, a pele é fina e manchada de preto, mas, no inverno, torna-se densa e mais macia, e as manchas geralmente desaparecem. O lince norte-americano normalmente é maior, com os pêlos mais compridos e, algumas vezes, com coloração quase branca. As orelhas possuem tufos de pêlos pretos e longos; o lince apresenta também uma coleira de pêlo longo em torno dos maxilares que pode ser eriçado quando enfurecido. Já viveu nos cinturões de florestas temperadas do hemisfério norte, mas o avanço do homem tem-no agora forçado para o interior das regiões mais remotas. É um exímio saltador e trepador, e pode caçar durante o dia, quando distante do homem, mas só à noite, quando este está em sua vizinhança.

O **bobcat** (*Lynx rufa*) é encontrado do sul do Canadá ao sul do México, mas não no cinturão de milho do centro-norte americano. Menor que o lince, ocupa as regiões mais quentes e vive em terrenos mais abertos. Embora caçado pelo homem, devido a sua pele e também por esporte, seu tamanho e sua adaptabilidade têm-lhe garantido a sobrevivência. Suas manchas são mais parecidas com as do lince europeu, mas sua cauda tende a ser mais longa e os tufos de pêlos da orelha são mais curtos. Os machos ajudam a criar as ninhadas, de até quatro gatinhos mas não lhes é permitida a aproximação com os filhotes até serem desmamados.

O **caracal** (*Lynx caracal*) possui as orelhas em tufos e a cauda curta como no lince e o substitui nos territórios mais quentes do Velho Mundo. É encontrado nas terras desérticas do sul da União Soviética, no norte da Índia, no Oriente Médio e em grande parte da África. Gosta de campos abertos e montanhosos ou com poucos arbustos, e fica afastado das florestas. Pode sobreviver em condições semidesérticas mas está-se tornando escasso na maioria das regiões, especialmente na Ásia. Os gatinhos, inicialmente, são de pelagem marrom-avermelhada, que é substituída por pêlos prateados, tornando-os mais cinzentos que a mãe. Quando adultos, são os mais poderosos entre os pequenos gatos africanos e podem saltar bem alto para o ar, conseguindo até capturar pássaros em vôo.

O **serval** (*Felis serval*) vive nas savanas abertas numa vasta área da África ao sul do Saara. Apresenta certa semelhança com o lince e o caracal, e suas orelhas enormes, sem tufos de pêlos, proporcionam uma acuidade auditiva superior à de outros gatos. Sua pelagem castanho-amarelada é marcada por manchas pretas. Cresce até cerca de 1 metro de comprimento, com mais 33 centímetros de cauda.

O **gato da areia** (*Felis margarita*) é outro gato com orelhas grandes bastante afastadas. Do tamanho de um gato doméstico, vive em áreas semidesérticas do norte da África e do Oriente Médio. Raramente é visto, mas suas pegadas são facilmente identificáveis, pois suas patas são quase inteiramente cobertas de pêlos.

Outro gato africano pequeno, pouco conhecido por ser muito raro, é o **gato de pata negra** (*Felis nigripes*), assim denominado por causa da cor dos coxins plantares. Sua distribuição é limitada ao deserto de Kalahari, a parte oeste do Orange Free State e parte de Botswana. É levemente menor que o gato doméstico, mas conhecido por poder cruzar com ele.

O **gato dourado africano** (*Felis aurata*) vive nas margens das florestas, no oeste da África, nas margens da savana da Guiné e, às vezes, no alto das montanhas. Embora seu nome se deva à lustrosa pelagem de cor marrom-dourada, alguns possuem uma coloração cinza-azulada. Quando adulto, tem cerca de 82 centímetros de comprimento mais a metade em cauda.

O **gato da selva** (*Felis chaus*) é um pouco maior que outros gatos africanos e é encontrado do Egito à Ásia, Índia, Cáucaso e Vietnã. Gosta de terreno baixo, pantanoso, com abundante cobertura, e por isso ganhou também o nome de **gato do pântano**. É de um castanho-grisalho com listas negras nas pernas e próximo à extremidade da cauda, com algumas manchas indistintas no corpo. As orelhas possuem tufos de pêlos pretos mas menos desenvolvidos que no lince e no caracal.

O **gato selvagem africano** (*Felis lybica*) é um pouco maior que o gato doméstico médio e é encontrado em todos os tipos de savana na África e no sudoeste da Ásia. Prefere florestas menos densas e é, na maioria das vezes, de hábitos noturnos, embora possa ser visto à luz do dia em tempos frios. Existe uma ampla variação de cor, mas toda a pelagem é manchada como no tabby doméstico. Embora seja um caçador noturno, que permanece escondido durante o dia, essa espécie pode ser domesticada e cruzar com o gato doméstico.

O **gato selvagem europeu** (*Felis silvestris*), atualmente, encontra-se distribuído na Inglaterra, Europa e oeste da Ásia. Outrora bastante comum nos territórios arborizados (exceto na Irlanda), agora está restrito a áreas distantes do homem. É muito difícil de se distinguir de um grande tabby doméstico que se tornou selvagem, mas de fato possui crânio e dentes maiores, e a extremidade da cauda é arredondada em vez de afilada. Caça pássaros e roedores à noite, mas pode também alimentar-se de besouros e gafanhotos, e, na costa oeste da Escócia, aprendeu a pegar peixes.

A **jaguatirica** (*Felis pardalis*) às vezes é encontrada no sul dos Estados Unidos e é comum na América Central e do Sul, até o sul do Paraguai. O corpo tem 1,32 metro de comprimento com mais 38 centímetros de cauda, sabe nadar bem e é uma exímia trepadora. Onde não é perturbada pelo homem, apresenta hábitos diurnos, mas sua pele tem sido bastante procurada, tornando-a agora um animal principalmente de hábito noturno. Caça às vezes em pares, no fundo da floresta, e às vezes caça pássaros e pequenos mamíferos nas árvores, e também répteis, incluindo-se um recorde de uma jibóia de 2,30 metros. Acredita-se que haja duas estações de acasalamento por ano.

O **margai** (*Felis wiedii*) é muito semelhante à jaguatirica e, sendo parente próximo, é consideravelmente menor: cerca de 66 centímetros de comprimento, com 33 centímetros ou mais de cauda. A distribuição é semelhante à da jaguatirica, mas existem poucos indivíduos nos Estados Unidos e mais nas florestas da América Central e do Sul. Acredita-se que passe a maior parte do tempo nas árvores.

Tanto os margais como as jaguatiricas têm sido criados como animais de estimação e, devido a sua aparência elegante, tornaram-se altamente procurados. Mas, se você pensa em possuí-los, lembre-se de que se tornam imprevisíveis e mesmo perigosos à medida que envelhecem. O mais importante é a ameaça criada para a espécie por causa de sua demanda. Para ter um filhote como animal de estimação, os caçadores devem ter sacrificado ou exterminado muitos mais. Pode-se encontrar um filhote nascido em cativeiro mas, mesmo assim, esta ação pode estimular atitudes irresponsáveis de outros.

O **jaguarundi** (*Felis yagouaroundi*) não se parece com o jaguar, e é entre os gatos o que mais se assemelha à doninha. Com cerca de 82 centímetros de comprimento, com mais 46 centímetros de cauda, está distribuído em territórios semelhantes aos da jaguatirica e do margai, vivendo nas margens das savanas e das florestas. Apesar de suas patas curtas, trepa e corre facilmente, vivendo principalmente de pássaros, especialmente os de hábitos terrestres, e alimentando-se de frutas diretamente das árvores. Pode ter pelagens cinza ou avermelhadas, mas ambos os tipos são indistintamente manchados e listados.

O **gato tigrado** (*Felis tigrina*) é uma versão um pouco menor que o margai, cujo território compartilha, da Costa Rica ao norte da América do Sul. Bom trepador, gosta de florestas e da mata. Este e os próximos três gatos sul-americanos descritos abaixo possuem um toque cinzento em suas pelagens.

O **gato-da-montanha** (*Felis jacobita*) vive nas encostas dos Andes, no Chile, e tem só 46 centímetros de comprimento e 23 de cauda.

O **gato de Geoffroy** (*Felis geoffroyi*) vive nas terras altas no "pé da serra" do outro lado dos Andes, da Bolívia à Patagônia. Sabe trepar bem e não se aventura abaixo da linha da árvore.

O **gato dos pampas** (*Felis colocolo*) no passado viveu nos pampas e "pântanos" da Argentina e Uruguai, mas atualmente está-se tornando cada vez mais raro. É mais ou menos do tamanho de um gato doméstico, um pouco mais avantajado.

O **gato de Palla** (*Felis manul*) possui uma aparência incomum e é comparativamente uma espécie rara, encontrada no Tibete, na Mongólia e em partes da Sibéria. Suas orelhas situadas em posição baixa e os olhos mais altos tornam-no mais hábil para as caçadas, permitindo que se esconda na cobertura das saliências rochosas. Seu tamanho é aproximadamente o de um gato doméstico e possui alguns pêlos do corpo brancos e longos, com extremidades pretas que acentuam sua aparência prateada.

O **gato-de-cabeça-chata** (*Felis planiceps*) também possui uma estranha aparência. Um dos menores gatos, só 66 centímetros de comprimento, incluindo a sua cauda, vive nos bancos dos rios no sul da Ásia, em Bornéu e Sumatra, e alimenta-se de peixes e rãs, mas pouco se sabe a seu respeito.

O **gato da baía** (*Felis badia*) é bastante raro e vive nas margens das selvas. É aproximadamente do mesmo tamanho do gato-de-cabeça-chata, mas possui uma cauda mais comprida (cerca de 15 centímetros).

O **gato marmoreado** (*Felis marmorata*) é um pouco maior que um gato doméstico, mas é mais espessamente coberto de pêlos e possui cauda mais longa. Parece uma miniatura de um leopardo malhado e encontra-se distribuído do Himalaia a Bornéu e Sumatra, onde vive ao longo das margens dos rios e nas clareiras das selvas. Possui a reputação de ser muito feroz.

O **gato dourado de Temmincki** (*Felis temmincki*) assemelha-se muitíssimo ao gato dourado africano, embora seja levemente maior, com listas visíveis na cabeça e no pescoço. É encontrado do Tibete a Sumatra.

O **gato chinês do deserto** (*Felis bieti*), que vive nas pastagens e nos semi-desertos na margem oeste das estepes chinesas e tibetanas, é semelhante – mas menor – que o gato selvagem africano e faltam-lhe as manchas características da variedade africana. A pelagem clara pode servir para refletir o calor do sol, bem como oferecer uma boa camuflagem. Possui um fino tufo de pêlos nas orelhas.

O **gato pescador** (*Felis viverrina*) tem aproximadamente 82 centímetros de comprimento mais 25 de cauda. Gosta da vegetação densa, próxima dos cursos d'água, e possui os dedos levemente interligados por uma membrana. Cientificamente, ainda não foi observado caçando na água, mas acredita-se que coma peixes e caramujos. Encontra-se distribuído da Índia e Indochina a Java e Sumatra. Seu nome é uma tradução exata do bengali *Mach-bagral*.

O **gato manchado de ferrugem** (*Felis rubiginosa*) vive nas matas de capins e arbustos altos do sul da Índia ao Sri-Lanka e, se for capturado quando novo, será facilmente domesticado. Tem pouco mais que 66 centímetros, do nariz à extremidade da cauda.

O **gato leopardo** (*Felis bengalensis*) é um pouco maior e distribui-se do Sudeste Asiático às Filipinas e, para o norte, no Tibete e na Sibéria. Parece ser um bom nadador e tem-se relatado que constrói seu ninho na árvore para criar seus gatinhos, embora outros zoologistas assegurem que ele é inteiramente de hábitos terrestres. É o gato selvagem mais comum do Sudeste Asiático; vive nas áreas montanhosas, evita florestas densas e é principalmente de hábitos noturnos. A pelagem varia de cor de acordo com a área geográfica e é mais densamente manchada nos indivíduos da Ásia continental. Embora seja um gato muito bonito, com olhos grandes, suas manchas não são arranjadas em rosetas como no leopardo verdadeiro.

O gato doméstico

A partir de que membro da família do gato pequeno o gato doméstico (*Felis domestica*) foi desenvolvido?

As semelhanças entre os gatos selvagens modernos e os de casa são tão grandes, e as diferenças – principalmente ligadas ao tamanho, ao comprimento do pêlo e à espessura da capa de proteção dos coxins plantares do gato selvagem – tão poucas, que se torna difícil estabelecer qualquer genealogia autêntica. É muito provável que, em diferentes partes do mundo, espécies locais diferentes tenham-se tornado os primeiros gatos domésticos. O gato de mancha ferruginosa do sul da Índia e do Sri-Lanka pode ser o ancestral do gato manchado da Índia, enquanto o gato selvagem europeu parece mais um robusto gato doméstico rajado (tabby) e pode cruzar com sucesso com os gatos domésticos.

Uma teoria que recebe amplo apoio é a de que o gato doméstico evoluiu do cruzamento entre o *Felis silvestris* e o *Felis lybica*, mas os zoologistas estão longe de um acordo sobre este ponto. Acredita-se que os gatos foram inicialmente domesticados no Egito, e a maioria do grupo de 192 múmias de gatos preservadas no Museu Britânico é de *Felis lybica*.

Na natureza, cada espécie produz uma mutação ocasional ou uma anomalia, mas são exemplos isolados e raramente persistem, uma vez que a alteração evolucionária requer muitas gerações. Quando o homem está envolvido no controle do acasalamento, a situação é muito diferente e, manejando cuidadosamente no sentido da perpetuação das variações mutantes, tem criado uma ampla gama de raças que caracterizam muitos dos animais domésticos que conhecemos atualmente. Os gatos têm vivido mais independentemente que as outras espécies domésticas e não apresentam as enormes variações de tamanho, forma e coloração produzidas, digamos, por exemplo, nos cães. Mas, atualmente, existem variedades de gatos domésticos cuja forma, pelagem e coloração não teriam sido criadas espontaneamente na vida selvagem. Embora incertos na genealogia do *Felis domestica*, não há nenhuma dúvida de que todas as linhagens representadas neste livro devem sua existência, com sua forma atual, inteiramente à ação do homem.

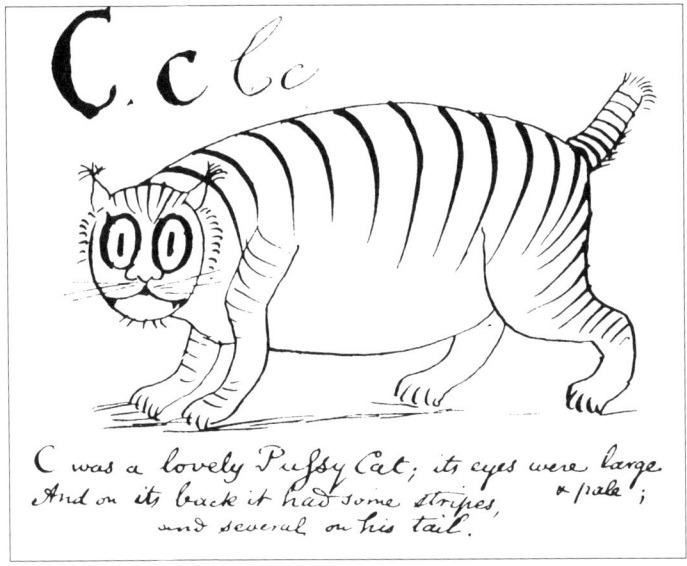

Um gato desenhado por Edward Lear, artista e escritor do absurdo que escreveu *A coruja e a gata* e criou o Runcible Cat.

OS GATOS E O HOMEM

A maioria dos animais domesticados pelo homem começou sua relação com ele mais como uma fonte de alimento ou como companheiro de caça, mas a associação do gato com o homem dependeu mais da vantagem para o gato que de seu proveito para os seres humanos. Existem muitas lendas para explicar a origem ou a domesticação do gato. Uma delas, contada pelos índios Hopi do Arizona, relata como um rapaz encontrou um estranho animal embaixo de uma rocha, capturou-o e o levou para casa. Seu pai reconheceu-o como sendo um gato, que era conhecido por alimentar-se de coelhos e roedores. O rapaz trancou o gato num buraco de uma rocha e saiu para capturar um coelho. Ele levava comida para o gato até que o tornou domesticado e acostumado com a casa, e, desde então, os gatos têm vivido nos lares dos Hopi, mantendo-os livres de camundongos e ratos. Uma lenda muito mais típica sobre a natureza do gato vem da velha Índia. O povo das colinas de Khasi, em Assam, descreve uma época em que a gata vivia com o tigre, seu irmão. Ele estava sempre doente; certa vez, quando começou a tremer de frio, ela sabia que devia encontrar fogo para aquecê-lo. Mas só o homem usava o fogo. Dirigindo-se à casa do homem para pedir um pouco de fogo, não encontrou ninguém ali. Entrou, mas, antes de alcançar o fogo, avistou alguns peixes saborosos e um arroz delicioso sobre o soalho. Incapaz de resistir a tamanha fartura, ela se serviu e estava pronta para se enrolar diante do fogo para uma soneca quando se lembrou do motivo que a levara até lá. Pegou a brasa entre os dentes e correu de volta a seu irmão e assim conseguiu acender o fogo para aquecê-lo. Feito isso, anunciou que tinha encontrado uma nova maneira de viver e que ia morar com o homem, com quem encontrava boa comida, e sempre quente.

Sabemos que o gato não se tornou domesticado muito mais tarde que o cão e os animais destinados para a alimentação humana, como o gado, mas é impossível conhecer-se exatamente quando se deu a primeira transição. Na Suíça, os arqueólogos encontraram ossos de gatos associados com o homem pré-his-

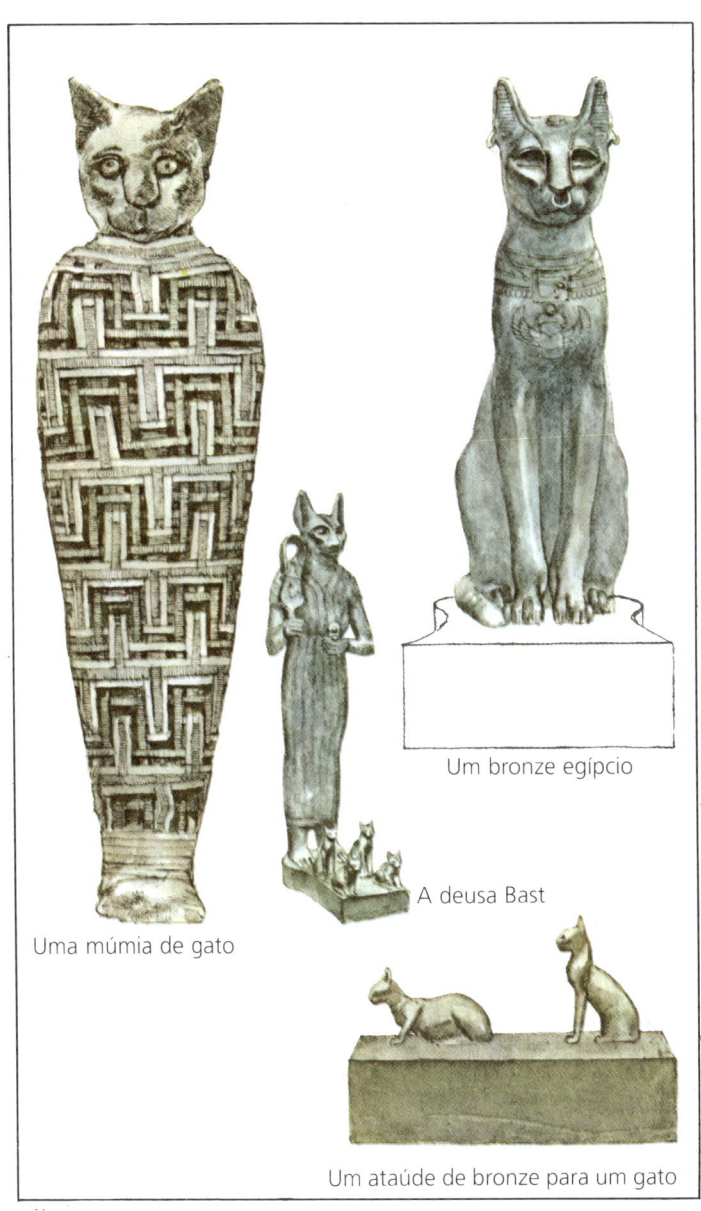

tórico mas, como estavam acompanhados de ossos de outros carnívoros selvagens, provavelmente eles ainda não eram domesticados. Estima-se que o gato encontrado no vale do rio Indo date de cerca de 2000 antes de Cristo e pode ter sido domesticado, mas é difícil distinguir um gato selvagem de um doméstico só pelos ossos. Os arqueólogos acostumaram-se a acreditar que os animais domésticos eram sempre diferentes no tamanho, mas este fato, atualmente, é discutível e existe um sólido estudo sobre os critérios que distinguem um animal doméstico.

O quadro mais primitivo de um gato, conhecido até hoje, foi pintado numa tumba egípcia há cerca de 2600 a.C. – nenhum foi descoberto entre as pinturas das cavernas pré-históricas. Este gato está usando um grande colar, mas podia ser ainda um gato selvagem, pois, embora o gato fosse tido como objeto de culto religioso no Egito, bem antes de 2000 a.c., os primeiros registros incontestáveis de gatos domésticos datam de 1800 a.c. somente.

Os egípcios não acreditavam que todo gato fosse um deus, mas havia uma forma na qual algumas das suas divindades podiam ser personificadas. Foi na forma de um gato que o grande deus sol Ra venceu Apep, a serpente da escuridão. Desenhos delicados de papiro mostram-no lutando contra o golpe da morte, com um punhal – uma vitória que tinha de ser repetida todo dia, pois o Sol e a Escuridão são imortais. A palavra egípcia que descrevia o gato era Mau, derivada da voz do gato.

Uma outra divindade que combatia a serpente era a deusa Mafdet, apresentada na forma de gato nas gravuras esculpidas na parede da pirâmide da quinta e sexta dinastias, estimadas anteriormente em 2280 a.C., como proteção ao faraó. Amuletos de gato e cabeça de gato persistiram até quase os dias atuais. Existia razão prática em acreditar na força protetora do gato? Os gatos pegavam as cobras verdadeiras do palácio e da casa?

Bast e Sekhmet eram duas grandes deusas adoradas no Templo do Sol em Heliópolis. Originalmente, ambas eram apresentadas sob a forma de cabeça de leão, mas, posteriormente, Bast (ou Pasht ou Bastet, uma vez que é conhecida por vários nomes) foi representada por uma gata ou pela cabeça de uma gata. Cada divindade egípcia tinha um culto animal associado, que era mantido em seus santuários como uma representação de seu deus na forma física. Eram tão venerados que os animais protegidos de cada deus eram considerados sagrados. Às vezes, este fato levava a disputas entre províncias, mas Bast tornou-se tão importante que os gatos passaram a ser venerados por todo o Egito. Comê-los ou matá-los era considerado um crime.

Em Bubastis, principal centro de culto a Bast no Baixo Egito, os gatos do templo viviam na corte; cuidar deles era uma honra especial passada de pai para filho. Eles eram cuidadosamente observados pelos sacerdotes, que esperavam interpretar alguma mensagem da deusa. Um devoto desejoso de encontrar ajuda da deusa ou fazer uma promessa solene, poderia raspar parcialmente a cabeça de sua criança e levar o cabelo cortado para o templo, onde era pesado e seu peso equiparado ao da prata. Aquela quantia era então presenteada ao guardião dos gatos sagrados, que cortava uma fatia considerável de um peixe a ser oferecida aos gatos.

O historiador grego Heródoto, que visitou Bubastis em 450 a.C., relata muitos fatos estranhos sobre os gatos. Os machos, diz ele, incitados pelas fêmeas após o parto, roubam os filhotes, carregam-nos para longe e matam-nos. As fêmeas, sendo despojadas de seus filhotes e na ânsia de preencher seu lugar, "procuram novamente os machos", que conquistam novamente o companheirismo. No caso de um incêndio, ele relata, as pessoas não tentavam extingui-lo; ficavam apenas observando enquanto os gatos passavam correndo por elas entre as chamas.

Os egípcios gostavam muito de seus gatos domésticos, que eram mostrados nos braços das cadeiras em numerosas pinturas. Treinaram-nos também para seguir seus donos quando iam à caça de aves selvagens nos pântanos do delta. Plutarco descreve quão cuidadosamente os egípcios cruzavam seus gatos, assegurando antes que o gato e a gata fossem de caracteres compatíveis. Se um gato morresse, todos os membros da casa raspavam suas sobrancelhas em sinal de luto. Matar deliberadamente um gato era punido com a morte e, mesmo em uma morte acidental, era exigida pesada multa. Na época de Ptolomeu, um membro da embaixada romana acidentalmente matou um gato e só foi salvo do linchamento com a intervenção do próprio faraó. Em 500 a.C., um rei persa, que sitiava uma cidade egípcia, ordenou a seus homens que recolhessem todos os gatos que pudessem e avançou sobre a cidade com cada soldado carregando um gato à sua frente. Os egípcios não arriscaram reagir, temerosos de atingir com golpes fatais os gatos sagrados, e foram forçados a render-se.

Tanto aos gatos domésticos como aos do templo era oferecido um enterro formal e, geralmente, eram mumificados. Ataúdes e cestos trabalhados dessas múmias têm sobrevivido ao tempo em Bubastis, onde os gatos eram envia-

Bruxas e seus familiares. Uma xilogravura impressa no ano de 1619: *A descoberta maravilhosa das bruxarias de Margaret e Philip Flower.*

dos freqüentemente para internamento; vindos de outras partes do país, os arqueólogos descobriram cerca de 300 mil gatos embalsamados deixados nas prateleiras das tumbas subterrâneas. Apenas poucos deles foram preservados; os demais, ao contrário, tiveram seus corpos utilizados como adubo.

Os egípcios tentaram impedir que seus gatos fossem exportados, mas muitos devem ter sido contrabandeados, e Roma, quando começou a adotar algumas das religiões egípcias, também passou a aceitar o gato tanto como um animal de culto como de estimação. Eles eram recomendados para a proteção de jardins contra os camundongos e toupeiras, e sua utilidade foi logo reconhecida por todo o império.

Os gregos, por outro lado, diz-se freqüentemente, não tiveram tempo para os gatos. Referências literárias quase não existem, embora uma figurante de uma peça ridicularize o respeito egípcio pelos gatos. Foi sugerido que alguns dos gatos que aparecem nas gravuras esculpidas e nas pinturas de vasos não sejam gatos, mas, sim, martas ou almiscareiros, mas uma estela fúnebre da cerâmica ateniense mostra que um gato de família foi amado o suficiente para ganhar um lugar junto à lápide de seu patrão.

Não é só das religiões egípcias e egipto-romanas que os gatos têm participado. Os chineses tinham um deus da agricultura em forma de gato; os peruanos, um deus felino da cópula; e os irlandeses, um deus com a cabeça de gato. Os gatos estão também relacionados com duas deusas nórdicas. Ao final do século XV, o papa Inocêncio VIII pediu uma inquisição judicial para perseguir os veneradores do gato.

A Igreja Cristã identificou as velhas religiões com o demônio e os gatos, especialmente os pretos que, freqüentemente, pensava-se ser a forma tomada pelo próprio Satã. Camponeses franceses da época medieval acreditavam que os gatos dormiam o dia todo a fim de manter vigília durante a noite, nos celeiros e estábulos, e avisar os espíritos do mal sobre a aproximação do homem, para que eles pudessem desaparecer. Nos séculos XII e XIII, os seguidores das heresias waldensiana e albigensiana foram acusados de conduzir rituais envolvendo gatos e, quando o papa Clementino V suspendeu os pedidos dos cavaleiros templários no início do século XIV, alguns de seus membros confessaram sob tortura que tinham venerado o demônio na forma de um gato preto. Acredita-se também que foi nesta forma que o demônio tornou-se o responsável pelo surto da dança de São Vito em Metz, em 1344, e a cada ano, por mais de quatro séculos, o povo dessa cidade francesa queimava publicamente treze gatos presos numa gaiola de ferro. Cerimônias semelhantes são relatadas de outras cidades européias – talvez seja a sobrevivência do ritual pagão que a Igreja assumiu, revertendo seu simbolismo. Na coroação da rainha Elizabeth I da Inglaterra, gatos vivos foram engaiolados no interior da efígie do papa para representar os demônios que os protestantes acreditavam controlar. Depois de serem carregados na procissão, a efígie e os gatos foram queimados numa fogueira.

A perseguição cristã contra os gatos permitiu um crescimento incontrolado da população de ratos e contribuiu para a virulência das pestes disseminadas pelos ratos.

O gato-vampiro de uma lenda japonesa. A fábula conta que um gato matou a "favorita" do príncipe de Hizen, tomou sua forma e, enquanto ele dormia, sugou-lhe o sangue. No folclore japonês, todos os gatos são inteligentes, mas os maus são facilmente identificados por suas caudas duplas.

A Igreja considerou que todas as bruxas estavam ligadas com o demônio, mas, enquanto os povos do continente europeu acreditavam que uma bruxa tivesse o poder de se transformar num animal, os ingleses acreditavam que cada uma delas tinha um criado "familiar" menos diabólico, que tomava uma forma animal. Podia ser um sapo, um cachorro, um coelho – qualquer criatura –, mas o gato de estimação, especialmente o gato preto, foi o responsável por muitas senhoras idosas e solitárias serem acusadas de bruxaria.

No século XVII, houve um interesse repentino pela bruxaria e pela caça às bruxas, especialmente na Inglaterra. O rei Jaime I escreveu um livro sobre bruxas e foi designado investigador oficial pelo governo. Havia numerosas confissões de estranhas intimidades com os gatos e de feitiçarias com sua ajuda, mas, às vezes, as confissões eram arrancadas sob tortura ou sob ameaça de tortura, e de mulheres quase sempre psicologicamente perturbadas. A mania de perseguição cruzou o Atlântico para as colônias americanas, onde os notórios julgamentos das bruxas de Salém tiveram lugar em Massachusetts no ano de 1692. Um acusador declarou ter sido atacado por uma mulher-diabo que "veio à janela na forma de um gato (...) caiu sobre ele, rapidamente apertou sua garganta, permaneceu em cima dele por um momento e quase o matou". Quando ele chamou pela Santíssima Trindade, "ele saltou para o soalho e voou pela janela".

Quando os gatos não eram tratados como demônios e perseguidos impiedosamente, freqüentemente eles eram – e são ainda hoje – considerados símbolos da boa sorte. Os marinheiros japoneses, por exemplo, sempre dão boas-vindas ao gato com pelagem de "casco de tartaruga" pois há a crença de que afasta os demônios da tempestade. Em muitas partes do mundo, os gatos brancos são considerados particularmente de sorte – embora na Grã-Bretanha, ao contrário, seja o gato preto o carreador de sorte. Um outro uso macabro da magia do gato, que parece ter persistido até os primeiros anos deste século, foi o de enterrar um gato nas paredes das fundações de um prédio. Isso era, às vezes, interpretado como um meio de manter o local livre de camundongos e ratos, mas provavelmente teve sua origem numa forma mais arcaica de sacrifício conciliatório para o edifício, do tipo semelhante ao que ainda hoje é lembrado, quando freqüentemente se colocam moedas e objetos sob a fundação da pedra.

No sul da França, em particular, havia uma crença amplamente disseminada de que gatos mágicos, conhecidos como *matagots*, podiam trazer prosperidade para a casa onde eram amados e bem cuidados. O folclore mundial e os contos de fadas incluem histórias de numerosos *matagots* inteligentes e prestativos, como o gato de Dick Whittington, que trouxe fama e fortuna ao lorde prefeito de Londres, e o *Gato de botas* cuja astúcia trouxe a seu dono a filha do rei e o reinado.

No século XVI, Sir Henry Wyat, um prisioneiro na Torre de Londres, realmente foi auxiliado por uma gata e conseguiu escapar do calabouço. Ela o ajudava a manter-se aquecido e trazia-lhe os pombos que capturava. O guardião da Torre tinha instruções para dar-lhe o mais pobre alimento, mas os regulamentos não o impediam de deixar que o prisioneiro cozinhasse a comida que conseguisse. Assim, Sir Henry podia comer os pássaros que a gata lhe trazia.

Um outro prisioneiro da torre, o jovem conde de Southampton, patrão de Shakespeare, que foi retratado com seu gato favorito, diz-se, seguiu-o e desceu à torre da chaminé para se juntar a ele durante sua prisão.

Ao longo dos séculos, os gatos têm sido adorados por nobres e plebeus, ricos e pobres, e existem incontáveis histórias de suas proezas, tanto reais como na ficção. Diz-se que Maomé amou os gatos e deu a ele sua letra inicial **M** (como esta não é uma letra árabe, parece ser mais uma lenda!). Os indianos utilizam, para denominar os gatos, a palavra que significa "o mais limpo". Parece que só os cristãos têm perseguido os gatos; embora a Igreja tenha temido o gato por suas ligações com as velhas crenças do passado, não foi só no leste que seu valor foi apreciado. As virtudes práticas do gato jamais foram tão reconhecidas como nas leis galesas, que enumeravam seu valor nas diferentes idades, de acordo com sua perfeição física e habilidade para caçar os camundongos: um tributo equiparava o valor do gato a um celeiro cheio de trigo.

Em todas as épocas, escritores, pintores e músicos têm utilizado seus talentos para venerar seus mascotinhos. Um monge da época medieval dedicou este poema para seu companheiro felino:

> Quando um camundongo corre de sua toca,
> Oh! quão alegre Pangur está!
> Oh! quanta alegria eu sinto
> Quando me dedico às questões que eu amo!

Então em paz cumprimos nossos deveres,
Pangur Ban, meu gato, e eu:
Em nossas artes encontramos nossas satisfações,
Eu tenho as minhas e ele, as suas.

O livro sobre gatos do velho "Gambá" T. S. Eliot retrata nada menos que catorze felinos individualmente, juntamente com um poema, "The Naming of Cats". Os estranhos e maravilhosos versos de Christopher Smart, escritos na

Detalhe da capa de "Des Chats", um livro de gravuras de Theophile Steinlen, um artista famoso por seus desenhos de gatos. Por séculos, muitos artistas têm-se deliciado em pintar gatos – Brueghel e Leonardo da Vinci, Foujita e Ronald Searle.

loucura do século XVIII acerca de seu gato "Jeoffrey", que "ronrona de agradecimento, quando Deus lhe conta que ele é um bom gato (...)", são os favoritos entre todos os amantes dos gatos; eles foram também incluídos no cenário de Benjamin Britten, em partes do poema completo, "Jubilate Agno". Ravel incluiu dois gatos muito diferentes, um par cômico de siameses, em seu "L'Enfant et les sortilèges" montado num libreto, por Colette, ela própria uma grande felinófila, cujo gato se sentava regularmente sobre sua escrivaninha enquanto escrevia.

John Rich, o ator-gerente do século XVIII e o primeiro a apresentar "The Beggar's Opera", demonstrou sua afeição à espécie criando nada menos que 27 gatos. Mas provavelmente nenhum outro gato foi tão mimado como o "Hodge", de Samuel Johnson, para quem o próprio sábio doutor ia comprar ostras.

Gatos famosos e donos famosos de gatos são muitos, mas, quando as palavras do ensaísta francês Montaigne, do século XVI, descreveram seus gatos, todos os proprietários de gatos concordaram:

"Quando eu e minha gata nos entretemos em gostosas travessuras, como se brincássemos de cobras, quem sabe se exercito mais minha gata que ela a mim? Poderei concluir, simplesmente, que teria ela a ocasião de aceitar ou negar a brincadeira livremente como eu próprio tenho? Não, quem sabe, mas este é um defeito meu por não entender sua linguagem (sem dúvida os gatos falam e raciocinam um com o outro); por isso não nos entendemos melhor? E quem sabe, mas ela se sente penalizada por não ser eu mais ágil, para brincar com ela, e ri e censura minha loucura de praticar esporte com ela, quando nós dois praticamos juntos?"

O GATO DOMÉSTICO

Se você deseja manter seu gato feliz e saudável, é importante considerar que ele é realmente um felino, um animal com caráter e instintos naturais, e não um ser dotado de idéias e reações humanas. Qualquer animal criado num ambiente doméstico se tornará, de alguma forma, condicionado a ele e adotará hábitos aparentemente estranhos a sua vida selvagem. Mas gatos que voltaram novamente à vida selvagem e sobreviveram de maneira própria indicam quão superficial é sua ligação com a domesticação. Sua agilidade natural e a destreza capacitam-nos a levar a vantagem no ambiente doméstico, mas a forma de seu comportamento é um tanto diferente na natureza. Os sociólogos e antropólogos têm mostrado quão associados aos instintos e comportamentos primitivos

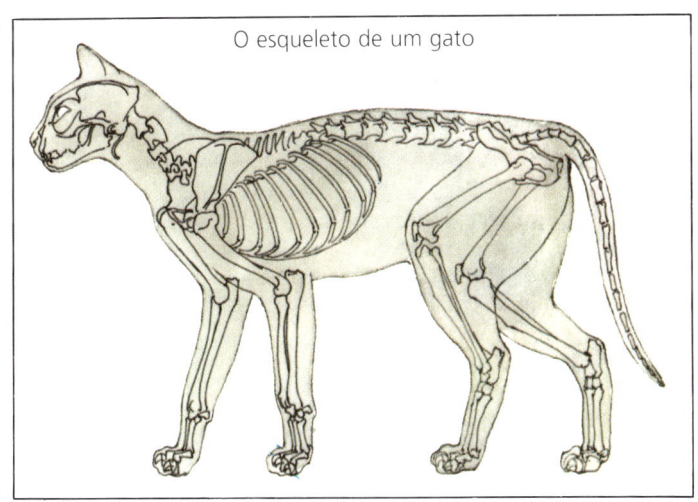

O esqueleto de um gato

estamos nós mesmos, não sendo surpreendente que isto seja uma verdade também para os gatos.

O gato é um carnívoro e um predador, e seu corpo é uma máquina eficientemente evoluída para surpreender, capturar, consumir e digerir os animais dos quais vive. Não foi designado para atividades de ataques prolongados e se cansará mais rapidamente que o homem; mas, para seu tamanho, é tremendamente forte – você descobrirá isso se tentar segurá-lo quando está determinado a lutar livremente ou quando ele o acertar em cheio, violentamente, com uma de suas patas dianteiras.

Sua espinha dorsal, embora muito semelhante à nossa, permite-lhe curvar e arcar seu dorso de maneira muito mais flexível que o esqueleto humano; pode virar a cabeça em quase 180°, e suas patas podem ser movidas sem esforço excessivo, em quase toda direção, tornando o corpo inteiro extremamente flexível. Este corpo versátil é operado por potentes músculos que são especialmente reforçados nos membros posteriores, permitindo-lhe um poderoso salto, e também no pescoço e nos membros dianteiros. Os músculos podem suportar um esforço considerável, mas o coração e os pulmões não, e é por isso que os gatos não sustentam atividade intensa por um período muito longo. Konrad Lorenz mostrou que um passeio de 30 minutos, mesmo em passo lento e não muito forçado, poderá cansar até mesmo um gato adulto forte e sadio. A cavidade torácica do gato é relativamente pequena para seu tamanho e, conseqüentemente, seu coração e os pulmões também o são. Compare você mesmo a respiração de um gato em repouso e dormindo: você descobrirá que, mesmo não fazendo nenhum esforço de qualquer natureza, os gatos ainda respiram duas vezes mais que você em 1 minuto. Seu batimento cardíaco pode variar de 110 a 240 batidas por minuto e nos gatinhos pode atingir 300 batidas. Se por um lado esses órgãos duramente operados são comparativamente pequenos, o sistema digestivo do gato ocupa proporcionalmente uma grande quantidade de espaço. Em estado selvagem, um gato pode ficar por períodos consideráveis sem refeições, por isso deve haver espaço para alimentar-se de grandes quantidades, a fim de prolongar a digestão de uma presa durante um período que pode não ter sucesso na caçada.

A parte do cérebro que controla a mobilidade do gato é particularmente bem desenvolvida às reações-relâmpago em todas as áreas do movimento muscular, equilíbrio e controle direcional, mas a capacidade de reação e o corpo bem ajustado não são suficientes para torná-lo um predador bem-sucedido. O sistema sensorial que alimenta de informação o cérebro deve ser eficiente e altamente desenvolvido para permitir-lhe agarrar suas presas e esquivar-se dos inimigos. Excetuando o paladar, que é de menor importância na batalha pela sobrevivência, os sentidos do gato têm grande alcance e sensibilidade.

Visão

Na maioria dos mamíferos, o olfato tem um papel importante no reconhecimento e na orientação destes aos alimentos e para avisá-los do perigo, mas o gato, junto com o homem e os primatas, confia inicialmente na evidência de seus olhos. Os olhos de todos os gatos são grandes, em comparação ao tamanho de seus crânios, e sua visão é extremamente sensível. Estão colocados bem à frente, cobrindo o mesmo campo de uma visão estereoscópica (diferente dos animais com os olhos ao lado da cabeça, que registram duas imagens bastante diferentes). Este fato ajuda os gatos a fazerem notáveis julgamentos da distância e é extremamente raro enganarem-se num salto. Cada olho tem um ângulo de visão de aproximadamente 205°, complementado com a flexibilidade do pescoço, que os capacita à observação de um campo amplo com um movimento mínimo, dando-lhes uma ampla cobertura. Os olhos de um gato não possuem tanta sensibilidade para a cor, como os nossos. Até recentemente pensava-se que eles enxergassem monocromaticamente, mas atualmente, estima-se que sejam mediados por um cone (o qual capta a cor) na retina, com vinte a vinte e cinco bastonetes, os quais registram a intensidade luminosa. Os seres humanos possuem de um a quatro. Os gatos parecem também ser menos capacitados para enxergar nitidamente os objetos estacionários ou para focalizar pontos muito próximos. Se eles não vêem o local, não conseguem perceber nenhum ruído, freqüentemente têm grande dificuldade em encontrá-lo e, parece, confiam mais no olfato para localizar o alimento que está literalmente abaixo de seu nariz. Sob a luz clara também ficam em desvantagem, mas a íris do olho pode fechar até uma pequena abertura, reduzindo a quantidade de luz que atravessa as lentes.

No escuro, os gatos estão em tremenda vantagem. A íris abre até que a pupila se torne um círculo, permitindo a entrada máxima possível de luz no olho; assim, a luz atinge uma área triangular na parte superior do olho, conhecida como *Tapetum lucidum*, onde as células da retina são cober-

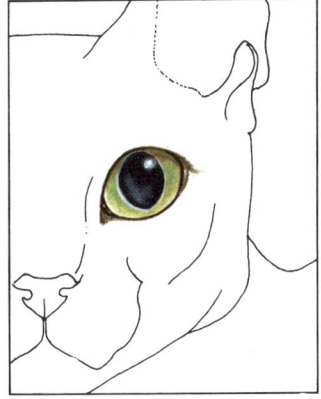

Os olhos de um gato:
íris fechada
íris aberta
membrana nictitante

tas por células achatadas grandes, que funcionam como espelho, refletindo a luz que não foi absorvida ao passar pelo olho de volta para as células da retina. Quando você vê os olhos de um gato aparentemente brilhando no escuro é o *Tapetum lucidum* refletindo de volta a luz existente. Isso significa intensificar a luz, capacidade que o gato compartilha com outros animais de hábitos noturnos, aptos a enxergar em condições que poderíamos considerar de total escuridão.

O gato possui também uma pálpebra extra, conhecida por membrana nictitante, ou menos tecnicamente como "terceira pálpebra", que fecha para cima, começando pelo canto interno do olho. Não é opaca, mas permite alguma visualização quando estendida sobre o olho. Ela reduz a intensidade de uma luz muito clara, permite alguma proteção em uma luta ou quando o animal penetra vegetações espinhosas e ajuda-o a limpar o olho. Quando um gato está doente, a membrana nictitante freqüentemente fica parcialmente fechada, mas isso pode também ocorrer ocasionalmente com os gatos perfeitamente sadios.

Tato

Quando se torna tão escuro que até mesmo um gato não pode enxergar, ele deve apoiar-se em seus outros sentidos. O gato pode "sentir" seu caminho – o que, talvez, só um cego possa compreender inteiramente. Ele não possui simplesmente um tato muitíssimo desenvolvido – sua pele é coberta por terminações altamente sensíveis (*touch spots*) que respondem sob a mais leve pressão; seu bigode e sobrancelhas e um grupo de pêlos longos no dorso das patas dianteiras transmitem ao cérebro as sensações de pressão. A maioria de nós já teve a sensação de alguma coisa no escuro que não podemos enxergar e que está à nossa frente, um aviso causado pelas mudanças de pressão do ar devido à presença de uma obstrução. Os gatos possuem essa habilidade em elevado grau, particularmente por causa desses pêlos longos e do bigode, denominados vibrissas, que são sensíveis às mínimas variações da pressão do ar. Existe uma velha concepção de que o comprimento do bigode de um gato combina com o tamanho de seu corpo e habilita-o a julgar se é ou não capaz de sair por uma abertura, mas ele realmente exerce papel importante na orientação espacial e, na escuridão, os gatos sem bigode fatalmente colidirão com os obstáculos.

À luz do dia, freqüentemente um gato utiliza o tato para investigar um objeto. As patas dianteiras são particularmente sensíveis e existe uma parte grande de seu cérebro destinada à percepção do tato. O nariz é também altamente sensível ao tato e freqüentemente será utilizado juntamente com as patas. O mais leve toque no dorso de um gato o fará se arrepiar, se for inesperado, mas o toque também lhe proporciona um prazer considerável – existe algum gato que não goste de ser afagado? Talvez isso crie a sensação de bem-estar e de segurança pela semelhança com os movimentos de limpeza executada com a língua de sua mãe.

Audição

A audição do gato pode detectar sons numa variação muito ampla – de 30 a 45 000 ciclos por segundo. Exceto as notas muito baixas, podemos ouvir como os gatos acima de cerca de 2 000 a 4 000 ciclos – faixa em que a audição humana é melhor – mas os gatos excedem-nos e sua faixa ótima continua até cerca de 8 000 ciclos. A maioria dos homens atinge o limite dessa distribuição com as notas mais altas de um violão – cerca de 20 000 ciclos – mas falhas na audição do gato não começam a ser perceptíveis até 40 000 ciclos e alguns gatos parecem não atingir seu limite até cerca de 60 000 ciclos! Para complementar essa variação enorme, as orelhas do gato são altamente manobráveis e moldadas e sulcadas para concentrar o som. Ao detectar o mais leve ruído, podem focalizar sua audição para a fonte. Quando você ouve um barulho fora da sala, registra-o juntamente com todos os outros ruídos, mas um gato imediatamente concentrará sobre o ponto de onde o som chegou à sala: a parte da janela que está aberta, a grade do ventilador ou um estalo debaixo da porta. Um gato freqüentemente pode localizar um objeto pelo som de sua queda mesmo fora de sua visão. Ele pode distinguir e diferenciar os sons a uma distância muito maior do que nós: ouvindo nossos passos quando viramos a esquina da rua ou reconhecendo o som do motor de nosso carro entre todos os outros, mesmo quando parece estar dormindo.

Equilíbrio

O ouvido interno do gato parece ser formado de maneira semelhante ao nosso, mas deve haver alguma diferença vital, pois muitos indivíduos da espécie humana e canina podem sofrer enjôos temporários em viagens, enquanto os gatos parecem ser imunes. A imunidade é obviamente devida a seu particular

O gato pode corrigir-se durante a queda e fazer uma notável aterragem com as quatro patas.

senso de equilíbrio, que os habilita a se corrigirem durante uma queda, de modo que fazem uma aterragem segura. Um gato surdo de nascença (o que parece ser um defeito congênito em gatos brancos puros com olhos azuis) manterá este sentido de equilíbrio. Mesmo um gato com a falta completa do ouvido interno foi capaz de se corrigir (mas não conseguiu quando os olhos foram vendados). Essa habilidade de correção envolve claramente outros sentidos e parece não funcionar quando a visão e a audição estão ausentes. Embora gatos caiam de consideráveis alturas sem machucar-se, podem estar em grande perigo se, surpreendidos ainda sonolentos, escorregarem, por exemplo, da borda de uma janela, uma vez que seus sentidos só são ativados muito tarde para salvá-los de uma lesão séria. E, embora eles possam fazer uma aterragem perfeita, apoiando as quatro patas, de uma altura grande o impacto poderá causar lesão a suas pernas ou no maxilar. As quedas de pequena altura, tal como dos braços de uma criança, também podem ser danosas porque a queda não é suficientemente longa para permitir-lhes virar o corpo na posição de aterragem.

Vocalização

O gato tem uma faixa vocal considerável, dos sons trinados, utilizados pela mãe quando conversa com seus gatinhos, ao chamado gutural profundo, de uma gata Siamesa no cio. Marvin Clark, um músico cego, cuja audição era ultrasensível, acreditava que podia distinguir 100 ruídos diferentes no vocabulário de um gato. A maioria dos proprietários de gatos é incapaz de identificar mesmo um quarto daquele número de sons diferentes do vocabulário de um gato, mas existem muitos sons facilmente reconhecíveis que se estabelecem na conversação homem-felino, incluindo o miado familiar, utilizado quando em "conversa" com o homem, mas raramente praticado com outro gato. Vários vocábulos de pedidos e exigências, cumprimentos e expressões de satisfação – talvez até mesmo as palavras de insuportáveis juras – logo se tornam conhecidos, mas um entendimento mais amplo exige uma íntima observação e afinidade. Expressões físicas, sobretudo as posições da cauda e das orelhas, também transmitem informações importantes, particularmente sobre o estado emocional de um gato. A cauda e as orelhas eretas mostram que um gato está contente e interessado. Uma cauda ondulante também é um sinal de contentamento: se ela sacode lateralmente, demonstra aborrecimento, e a extremidade da cauda contorcida mostra uma irritação contida.

O ronronar dos gatos é um sinal de satisfação, embora um ronronar mais profundo e mais estridente possa ser produzido por gatos com dor ou quando estejam particularmente apreensivos – talvez num esforço de suprimir a agonia pelo processo de auto-sugestão. Freqüentemente, os gatos adultos ronronam em vários tons, mas, às vezes, o ronronar é silencioso ao ouvido humano, embora sua vibração possa ser sentida. O mecanismo do ronronar está apenas começando a ser compreendido. Investigações realizadas pelos veterinários franceses mostram que ele é produzido pelas cordas vocais e que os músculos da laringe se contraem ritmicamente para produzir o som vibrante. É possível que a ressonância seja produzida a partir do diafragma.

Paladar

O paladar não ocupa parte importante na vida de um felino, mas qualquer dono de gato terá notado que há uma preferência de seu animal de estimação para certos sabores, invalidando assim a teoria previamente sustentada de que os gatos não possuem sensação de paladar. A maioria das papilas gustativas do gato está na língua e poucas no palato mole e nas partes que margeiam a boca. Os adultos são mais sensíveis ao gosto azedo, e o sabor doce produz uma sensação mínima.

Olfato

Embora a visão seja mais importante para eles numa caçada, o sentido da captação do cheiro é fortemente desenvolvido nos gatos e parece proporcionar-lhes grande satisfação. É o principal meio de identificação tanto para uma distância longa como curta. O fato de um gato não enxergar o alimento que está diretamente à sua frente e de confiar em seu nariz para sua localização exata provavelmente é o resultado dos primeiros dias de vida, quando, antes que seus olhos tivessem aberto, o gatinho já confiava em seu faro para procurar a teta da mãe.

Observe um gato sentado numa janela aberta e captando centenas de fascinantes odores de uma brisa. Alguns dos cheiros mais interessantes para o gato

Um Abissínio à "espreita" enquanto está caçando.

talvez sejam justamente os mais desagradáveis para nós! Para intensificar a percepção de um odor particular, o gato abrirá a boca e aspirará mais ar. Um gato também se delicia investigando os registros de odor das viagens de seu dono ou de outros animais, cheirando todos os traços deixados sobre as mãos ou as vestimentas, que contam onde você esteve e com quem você se encontrou.

O odor exerce um papel vital na marcação do território e na identificação sexual. Mesmo que uma fêmea não faça os ruidosos chamados de acasalamento, seu odor anunciará, a uma distância considerável, que ela está no cio. Quando um gato se esfrega contra uma pessoa ou a uma peça de mobília, pode estar deixando o sinal de seu odor (embora não seja de uma maneira pungente como na identificação territorial de um macho), especialmente quando esfrega a cabeça contra a mão, num gesto muito típico de um felino, pois existem glândulas odoríferas ao lado da cabeça de um gato.

Território

Como carnívoros predadores, os membros da família do gato demarcam um limite do território que dificilmente estão preparados para compartilhar com os outros da mesma espécie. Mudando com o homem, e particularmente numa situação urbana, o gato doméstico tem sido forçado a aceitar um terreno compartilhado e é capaz de fazê-lo, pois confia mais nos homens que na caça para o suprimento do alimento. Entretanto, muitos gatos ainda perseguirão os intrusos fora da área delimitada – seu próprio jardim, por exemplo – e freqüentemente tentarão evitar o uso comum das vias públicas ao mesmo tempo com os gatos vizinhos. Os vizinhos conhecidos serão tolerados de uma maneira que os estranhos não seriam, e os territórios podem-se cruzar. Mas mesmo os felinos amigos serão mantidos fora de seu lugar favorito, e dentro da casa pode ser exigido um lugar particular e defendido contra todos os concorrentes.

O macho não-castrado marcará seu território espalhando urina, impregnando as fronteiras e os marcos de limite de seu domínio com seu próprio odor – um cheiro que é extremamente difícil de se apagar ou de se ocultar. Para muitos proprietários, este é motivo suficiente para a castração de um gatinho macho. A simples operação também elimina a necessidade de sair para longos passeios noturnos à procura das fêmeas, reduzindo a probabilidade de o macho se envolver em lutas. Todavia, o mais importante é que isso significa um meio de controle de natalidade.

Caça

Embora os animais de estimação não precisem mais caçar e matar para conseguir alimento, o corpo e os instintos do gato são designados e desenvolvidos para torná-lo um caçador muito inteligente, e alguns poucos milhares de anos de domesticação não diminuíram suas habilidades. Observe qualquer ninhada de gatinhos e você verá que quase todas as brincadeiras constituem realmente exercícios de habilidade da caça. Eles estão experimentando as técnicas que você pode perceber no gato adulto quando ele está se aproximando sorrateiramente de sua presa. A maneira como um gatinho se lança sobre uma bola é o ensaio da captura de um camundongo e, para o ataque a um brinquedo oscilante, utiliza-se dos mesmos movimentos que poderia tentar para capturar um pássaro.

O gato experimentado pode esperar pacientemente ao longo da trilha que supostamente sua presa usará, permanecendo imóvel por horas, embora sempre pronto para um salto repentino, ou pode aproximar-se furtivamente de sua presa. Os gatos gostam de locais altos dos quais podem vigiar o terreno, localizar a caça, o perigo ou incidentes interessantes. Igualmente, eles podem ocultar-se num esconderijo seguro para espionar a posição do terreno. Mesmo dentro de casa, quando você vira as costas, poderá encontrar seu gato no corrimão do último degrau da escada ou mergulhando debaixo de uma pilha de jornais caídos no chão.

Quando um odor, um ruído ou um movimento informam um gato sobre a presença da presa (ou transmitindo qualquer aviso intrigante ou perturbador), ele concentrará todos os seus sentidos, por um momento, para obter a maior informação possível. Ele pode emergir do abrigo para investigar adiante a situação, freqüentemente tomando uma trilha sinuosa para evitar que seja observado. A menos que saiba que está num abrigo seguro, o gato se move com pequenas arrancadas rápidas, mantendo seu corpo o mais próximo possível do solo. Quanto mais perto chega de sua presa, mais cuidadosamente ele se aproxima, parando freqüentemente para avaliar a situação, abaixando as orelhas para reduzir sua área visível e ouvindo cuidadosamente antes de avançar. Haverá um movimento vibrante de preparação, e então uma arrancada repentina

Uma luta real nem sempre pode ser evitada.

de seu abrigo, ou uma arremetida-relâmpago com patas, dentes e garras sobre a criatura ou o brinquedo cobiçado.

Um inseto será agarrado pelas mandíbulas, mas outra presa poderá ser normalmente morta por uma mordida decisiva e bem feita no pescoço, e, como a maioria dos carnívoros pequenos, o gato comerá a partir da cabeça para baixo (ou, às vezes, no caso dos pássaros, a partir da asa).

Em condições naturais, as gatas mães trazem as presas ainda vivas para seus gatinhos e treina-os para a captura e a matança, mas um gato que nunca matou para comer jamais associa a matança com o alimento, e o gatinho, se não matar num período particular de sua adolescência, jamais poderá aprender a fazê-lo. Embora o método de morder o pescoço possa parecer uma resposta herdada imposta pela perseguição à presa, não é instintivo e precisa ser aprendido.

Ataque e defesa

Os gatinhos raramente se machucarão uns aos outros durante uma brincadeira, não importa quão ferozes suas brincadeiras possam parecer, pois o instinto reprimido faz recolher suas garras. Embora os companheiros das ninhadas possam iniciar as manobras de perseguição ou de arremeter-se, a vítima inicial de uma emboscada pode rapidamente inverter o papel para o de um predador.

Mesmo os gatos adultos freqüentemente não entram numa briga verdadeira, não obstante as evidências em contrário dos gatos machos com as orelhas rebentadas. Quase sempre os gatos dão muitos avisos, antes de se lançar ao ataque, e tentam primeiro entrar numa confrontação psicológica que consiste em demonstração de força e troca de ameaça e sinais submissos até que um dos confrontadores desista. Dois gatos permanecerão olhando fixamente um para o outro por vários minutos antes de fazer um movimento para a frente. O pêlo eriçado e a cauda estufada fazem um gato parecer maior, e talvez o mais formidável sejam as reações de medo que permanecerão por algum tempo, mesmo depois de o gato ter fugido. De fato, a postura familiar do dorso arqueado é uma mistura de sinais agressivos e defensivos. Olhos dilatados, boca aberta e orelhas apontadas para trás são os alertas de ataque. Os quartos traseiros avançam para atacar enquanto as patas anteriores se retraem ou, no máximo, mantêm-se firmes, forçando o dorso a arquear.

A sibilação e a bufada são um sinal de aviso, e o barulho explosivo que um gato pode fazer, pode, por exemplo, impressionar suficientemente um cão agressivo, permitindo a escapada antes que o cão se recupere. Um ataque súbito também pode ser utilizado para descontrolar a concentração de um inimigo maior, não para tentar infligir um prejuízo sério mas para proporcionar uma oportunidade para escapar durante a confusão decorrente. A menos que um gato seja realmente encurralado, ele raramente tentará atracar-se a um agressor, mas rapidamente porá uma distância entre a ameaça e ele próprio. É muito improvável que você veja um gato juntar-se a uma briga, a menos que ele esteja certo de que é uma brincadeira.

Se uma luta real não puder ser evitada, o gato atacará com as garras das patas anteriores, que são bastante afiadas, e poderá infligir um ferimento profundo, ou com seus dentes, se for possível aproximar-se o suficiente do inimigo sem que tenha seu rosto arranhado. Os ferimentos de mordida são raros nas lutas dos gatos a menos que os oponentes sejam realmente agressivos. Um gato que está perdendo a luta geralmente adota uma posição defensiva, jogando-se de costas, pois assim poderá acertar seu oponente com todas as garras e particularmente se concentrará em dar golpes violentos com suas potentes pernas traseiras.

As mesmas técnicas de luta serão utilizadas nos confrontos com o homem. Inicialmente, há uma reclamação verbal se você estiver fazendo algo de que ele não goste, então um arranhão e depois um arranhão de verdade ou uma mordida para ter a chance de que escape, enquanto você se recupera. Se a situação parece realmente perigosa para um gato, ele rapidamente trata de desaparecer ou alcança um local vantajoso e seguro de onde ele possa gritar-lhe insultos.

Não é uma boa idéia fingir uma luta com seu gato com as mãos desprotegidas (na excitação, ele pode errar o cálculo e lhe ferir) – mas geralmente os gatos são extremamente cuidadosos em não ferir seus amigos. As garras expostas no momento em que ele está subindo por seu casaco, no momento seguinte podem estar cravadas no pano fino de sua camisa ou da blusa. Os coxins plantares macios das patas conferem ao gato um movimento bastante silencioso – um grande trunfo para um caçador – mas não tão silenciosos para que outros gatos não os possam ouvir. As garras dos gatos orientais não são tão retráteis como nas outras raças e fazem um barulho claro de clique-clique quando tocam uma superfície sólida.

Hábitos disciplinares

Os gatos são criaturas melindrosas. São asseados e gostam de que o ambiente onde vivem seja mantido limpo. As fezes são enterradas meticulosamente e a pelagem é mantida escrupulosamente limpa. De fato, a limpeza ocupa uma grande parte do tempo de um gato. Ele pode alcançar a maioria do corpo com a língua, que age como uma esponja ou como um pente; sua cabeça e a parte posterior do pescoço são mantidas limpas com as patas anteriores molhadas, utilizadas como uma escova para esfregar. Gatos não gostam de barulhos espalhafatosos ou movimentos repentinos e normalmente se escondem quando estão diante de uma briga doméstica, mesmo quando nada têm a ver com eles. São criaturas de hábito e gostam de ter horário para cada atividade – especialmente para as refeições e para sair e entrar – e locais certos para dormir, comer ou observar o mundo. Estranharão se a mobília estiver rearranjada ou se os caminhos habituais estiverem bloqueados – embora estudem com interesse cuidadoso todos os seus andamentos. Um gato não deixará escapar muita coisa. Os gatos possuem senso de humor e compartilham e mesmo participam de uma brincadeira, mas não gostam de ser ridicularizados.

O GATO EM CASA

Cuidar de um gato não exige nenhuma habilidade especial, só bom senso, consideração e consciência da responsabilidade. Mas, antes de decidir ficar com um gato, lembre-se de que você terá que encontrar tempo para alimentá-lo e limpar seu ambiente, trocar a cama e deixá-lo sair e entrar, providenciar para que ele seja cuidado quando você estiver ausente e arcar com o custo da comida, da cama e das despesas com veterinário.

Existem muitas raças adoráveis para ser escolhidas ou você pode se apaixonar por um gatinho de origem incerta. O caráter pertence muito mais ao indivíduo que à raça, embora alguns possuam grande necessidade de companhia humana. Se for para manter um gato dentro de casa, então pense em ficar com dois, pois um só pode ficar muito solitário.

Nenhum criador ou comerciante de reputação, de animal de estimação, oferece intencionalmente um gato doente para a venda, mas deve-se estar sempre alerta à procura de sinais peculiares capazes de indicar se está comprando um gatinho com *pedigree* ou um vira-lata. Se você adotar um gatinho perdido, ou ficar com um gatinho de uma ninhada da vizinhança, deve tomar as mesmas precauções. Moléstias e infecções não podem ser sempre prevenidas, mesmo nos melhores lares, e um tratamento rápido poderá prevenir problemas mais graves que poderiam ocorrer mais tarde. Atente para os pontinhos pretos ou pequenos grânulos duros na pelagem. Podem ser fezes de pulgas ou piolhos. Verifique as orelhas para certificar-se se seu interior está limpo ou livre de ácaros – um gato que balança continuamente a cabeça ou coça as orelhas pode ter uma infestação. Os olhos são claros e brilhantes? Se a membrana interna (terceira pálpebra) estiver parcialmente fechada, pode ser um sinal de doença. Atente se tem tosses ou espirros. O estômago está distendido – um sinal de problemas gástricos – ou existem sinais de diarréia? Apresenta as pernas fortes e sem sinal de claudicação? O gatinho é alegre e ativo? Dê uma olhada na boca do gatinho: ela deve ser de uma cor rosa-avermelhada, e esteja seguro de que tenha todos os dentes – caso não tenha, é muito novo para ser vendido. Gatinhos com menos de 6 semanas de idade não devem ser vendidos; de preferência, deve-se esperar o filhote atingir 8 semanas ou mais idade para ser levado para um novo lar.

O criador deve dar-lhe a receita da dieta e certamente você deve se informar sobre qual o alimento que vinha sendo dado ao gatinho. Se o gato tiver *pedigree*, você deve receber uma cópia do certificado (*veja a página 84*). Pergunte sempre se o gatinho foi vacinado contra a panleucopenia (enterite infecciosa felina). Se receber o certificado de vacinação, você precisa saber que tipo de vacina foi ministrada e quando será necessária a vacinação de reforço. Panleucopenia é uma das doenças mais perigosas dentre as doenças dos felinos e, caso o gatinho ainda não tenha sido vacinado, você deve tomar providências para que isso seja feito o mais breve possível.

Castração

Uma visita ao veterinário é uma precaução sensata com qualquer gato novo e ao mesmo tempo você pode combinar para que o gato seja castrado se você não tenciona mantê-lo para fins de reprodução. Os machos podem ser castrados com qualquer idade acima de 6 meses, mas, quanto mais novo for o gato, mais simples será a operação. Será dada uma anestesia geral, o que exige que não se alimente o gato pelo menos nas 12 horas antes da operação. Embora a castração real leve pouco tempo, será pedido que se deixe o gato para a cirurgia por várias horas para assegurar a total recuperação da anestesia. A esterilização da fêmea (remoção do útero e dos ovários) exige uma cirurgia mais complicada, mas ainda é uma operação de rotina que os veterinários executam dúzias de vezes toda semana. Alguns veterinários preferem realizá-la quando o animal tem apenas 20 semanas de idade e ainda não está completamente desenvolvido, mas outros preferem aguardar até que ele se torne adulto. Uma pequena parte do pêlo será raspada para facilitar a operação e a incisão deve ser suturada. Então a fêmea deve ser contida para que não tenha demasiada atividade nos dias subseqüentes, a fim de evitar esforços sobre o corte. Uma segunda visita ao cirurgião terá de ser feita para a retirada dos pontos da sutura.

Esta operação pode ser retardada até que a fêmea tenha tido uma ninhada, mas, a menos que pretenda tornar-se um criador sério, você poderá estar tomando uma atitude irresponsável em manter os gatos não-esterilizados, pois o mundo já está cheio de gatinhos indesejados. Com uma fêmea, você mesmo poderá aceitar a responsabilidade de providenciar ou encontrar um bom lar para toda a sua cria, mas, com um gato não-castrado, não terá meios de saber quantos gatinhos ele pôs no mundo. Se você tiver um gato fértil, ele espalhará urina para marcar seu território e você poderá achar esse fato extremamente interessante, mas terá um odor desagradável nas paredes e na mobília. Castre seus gatos ainda novos, pois, se isso for feito após a maturidade, eles continuarão com tal hábito.

O gatinho recém-chegado

Decida ficar com um novo gatinho só quando você tiver tempo suficiente para ajudá-lo a se estabelecer em seu novo lar, e quando não houver muitas pessoas ou barulho para assustá-lo. Uma cesta bem firme ou uma caixa de papelão do tipo das aprovadas pelas organizações de bem-estar animal será o melhor para levá-lo para o lar. Você já deve ter-se tornado amigo do gatinho e no caminho para a casa dê-lhe alguma atenção – mas não o deixe sair da cesta. Se a jornada for muito longa, será melhor encorajar o gatinho a dormir deixando a caixa fechada, exceto os orifícios para a ventilação.

Se você tiver outros animais de estimação, tente mantê-los fora do alcance no início, assim o gatinho pode-se ajustar a sua nova vizinhança antes de encarar os animais estranhos. Quando você os apresentar, não os deixe juntos a sós até estar bem seguro de que eles se aceitaram. Isto é necessário para o próprio bem do animal estabelecido, pois a nova chegada pode levá-lo ao pânico e a atacar violentamente com suas garras. Dê bastante atenção aos gatos mais velhos da casa para não lhes despertar ciúmes.

Deixe o gatinho explorar seu novo lar e ganhar confiança nele. Não o deixe simplesmente correr livremente, mas experimente uma sala por vez e faça uma observação cuidadosa para certificar-se de que nada de grave lhe acontecerá. Converse com ele gentilmente, acaricie-o freqüentemente e faça-o sentir-se realmente querido. Mostre a ele a bandeja sanitária (pode precisar muito pouco dela no início) e ofereça-lhe à chegada uma mamadeira de leite, levemente aquecido, mas não tente alimentá-lo até que ele tenha-se estabelecido. Quando ele começar a fazer sua própria limpeza dos pêlos, você ficará sabendo que ele decidiu que, apesar de tudo, seu novo ambiente não é tão ruim assim. Então é este o momento de lhe oferecer comida para tranqüilizá-lo ainda mais. Um gato mais idoso possivelmente levará mais tempo para acostumar-se ao novo lar.

Alimentação

Para começar, experimente dar ao gatinho o alimento a que ele já esteja acostumado. Então, quando ele estiver ambientado, você pode introduzir gradualmente suas alterações na dieta, se assim o desejar. Com 8 semanas, o gatinho pode ser inteiramente desmamado e comer quatro refeições variadas por dia. Elas devem conter carne – uma dieta baseada inteiramente na carne de peixe pode conduzi-lo a doenças de pele – e a maioria dos gatinhos gosta de um pouco de cereal misturado na comida, ou um pouco de creme de arroz misturado com um pouco de leite em pó. Uma mamadeira de leite de vaca também pode ser aceitável, mas cuidado, pois pode causar diarréia em alguns gatos, especialmente em alguns orientais, que jamais adquirem gosto pelo leite. Mantenha sempre água fresca ao alcance deles. Alimentos enlatados, secos e empacotados e aromatizados industrialmente também podem ser introduzidos à medida que os gatos crescem, mas muitas pessoas preferem não oferecê-los aos gatinhos. Se você realmente os utilizar, ainda que para gatos adultos, não os deixe constituir uma dieta exclusiva. Se um gato parece não tomar muita água, evite alimentos secos, ou problemas urinários podem-se desenvolver.

Até a idade de 3 meses, o estômago do gatinho não é maior que uma noz, dessa forma, as refeições devem ser pequenas e freqüentes. Café da manhã com leite e cereais; almoço com pedaços de bife cru; ovos mexidos e leite para o lanche da tarde; e jantar com carne, variando ocasionalmente – peixe de carne branca cozido com osso, em vez da carne, pode ser um bom regime para esta idade. Alimente sempre o gato no mesmo lugar – onde você não tropece no gato ou em suas tigelas, nem derrame a caçarola ou espirre água – e use uma tigela que não possa ser facilmente virada caso o gato ponha a pata na borda. Os gatos, freqüentemente, gostam de puxar a comida para fora da tigela e colocar sobre o soalho. Deste modo, será aconselhável que se coloque um jornal como pano de mesa ou os pratos de comida sobre uma bandeja de fácil limpeza. E lembre-se de manter constantemente uma tigela com água fresca.

Aos 4 meses de idade o gatinho pode começar a perder os dentes de leite (você pode nem notar) e, aos 6 meses, já possui a dentição de adulto; sua dieta então pode ser restringida para só duas refeições por dia. Eventualmente, você pode oferecer só uma refeição principal (servindo aproximadamente 30 gramas de alimento por quilo de peso corporal para um gato adulto) ou pode preferir manter ambas as refeições, a da manhã e a da noite.

Você pode satisfazer certas vontades de seu gato, certificando-se de que você ainda está-lhe proporcionando uma dieta equilibrada em carboidratos, proteínas, minerais e vitaminas, mas, se você não deseja ser induzido a servir salmão defumado ou outras guloseimas, então seja rígido. Não acontecerá nada

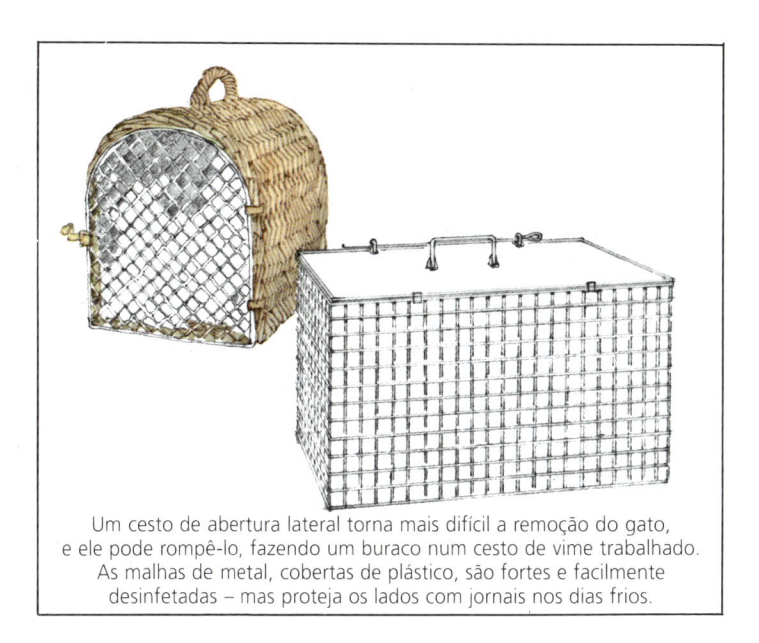

Um cesto de abertura lateral torna mais difícil a remoção do gato, e ele pode rompê-lo, fazendo um buraco num cesto de vime trabalhado. As malhas de metal, cobertas de plástico, são fortes e facilmente desinfetadas – mas proteja os lados com jornais nos dias frios.

se você deixar um gato adulto sem uma refeição. Caso não aceite a comida que você der, não a deixe estragar. Tire-a e não ofereça mais nada. Quando o gato realmente tiver fome, logo se aproximará para comer aquilo que você oferecer. Entretanto, observe se o gato realmente não se interessa pela comida, pois geralmente é um sinal de algo errado.

Alguns gatos gostam de roer ossos grandes, mas lembre-se de que o cozimento torna os ossos quebradiços, por isso jamais sirva peixe ou carne cozida ainda com osso, retirando todos os ossos pequenos que porventura possam perfurar a boca ou a garganta do gato. Em estado selvagem, os gatos se alimentam dos conteúdos intestinais de suas presas e, assim, obtêm algum alimento vegetal. Ocasionalmente, devem ser então oferecidos ao gato doméstico vegetais, sempre cozidos, porque eles não são fáceis de ser digeridos – e, se ele não tiver acesso a capim fora de casa, alguns tipos podem ser plantados dentro de casa para que o gato possa mastigar de tempo em tempo. O gato utiliza o capim como material fibroso que lhe estimula os movimentos peristálticos normais, e, algumas vezes, como emético para provocar-lhe o vômito que expulsará as bolas de pêlos que se acumulam quando os engole ao se limpar. Eles gostam particularmente do capim pé-de-galinha (*Dactylis glomerata*), e um vaso desta grama provavelmente evitará que o gato mastigue suas plantas domésticas, que poderão torná-lo doente. Não plante filodendros ou *dieffenbachia* (família da comigo-ninguém-pode) como plantas domésticas – ambos são venenosos para os gatos. Os filodendros produzem um envenenamento lento e a *dieffenbachia*, rápido. O louro também é venenoso.

Cama

Nas lojas de artigos para animais de estimação existe uma variedade de camas e cestos. Os tradicionais são feitos de vime e os mais modernos geralmente são fabricados de plástico ou fibra de vidro. Este último material é o mais fácil de limpar e desinfetar. Um gato novo quer um lugar para si e, até que ele se decida escolher algum lugar, você deve providenciar a cama, mas não é necessário comprar um cesto especial – uma caixa de papelão servirá como uma cama eficaz e poderá ser substituída quando ficar suja. Ao chegar em casa, uma garrafa de água quente debaixo do cobertor substituirá o calor que o gatinho estava acostumado a ter da mãe e de outros irmãos da mesma ninhada, e um relógio com um tique-taque barulhento (um despertador é o ideal) – mas certifique-se de que o alarme esteja desligado – colocado junto dar-lhe-á tranqüilidade com um batimento semelhante ao do coração da mãe. Não deixe a garrafa na cama quando esta estiver fria, caso contrário terá um efeito oposto.

Na prática, muitos gatos não aceitam a cesta. Eles mesmos escolhem o lugar favorito para dormir. Entretanto, se você não quer que ele se enrole ao pé de sua cama ou no canto de uma poltrona, pode forrar uma caixa ou uma cesta com várias camadas de jornais para servir como cama, coberta com um lençol ou um cobertor e que possa ser facilmente lavado, e colocá-la num canto quente e livre de corrente de ar. Deite-se no soalho e verifique você mesmo se pode sentir a corrente. De pé, você não será capaz de prever. Tal inconveniente pode ser corrigido, mantendo-se a cama a uma altura de 2 a 4 centímetros acima do soalho.

Poste para arranhar

Se você deseja proteger suas mobílias e carpetes das garras de seu gato, deve comprar ou fazer um poste para arranhar – ou treinar o gato para arranhar apenas uma peça que você esteja preparado para sacrificar. As lojas para animais de estimação freqüentemente comercializam almofadas próprias para arranhar, impregnadas com "erva-dos-gatos", mas um velho pedaço de carpete ou um saco comum, fixado ao redor de um poste de madeira ou a um canudo de papelão, serve melhor para alguns gatos. Um tronco áspero é uma outra excelente alternativa. Procure escolher peças com uma textura diferente da apresentada pela superfície do mobiliário de sua casa. Assim será mais fácil restringir o gato a este único lugar.

Ao contrário do que muitos pensam, os gatos não estão afiando suas garras quando arranham. Na verdade, estão estirando e exercitando as garras dos membros anteriores, ao mesmo tempo que, com isso, removem a cobertura mais exterior delas para revelar as novas extremidades pontiagudas resultantes do crescimento natural. O gato utiliza seus dentes para remover a camada mais externa desgastada das garras posteriores.

Bandeja sanitária

Uma peça essencial do equipamento, mesmo que você eventualmente pretenda deixar seu gato fora de casa, é uma travessa rasa, que pode ser enchida de

Um poste para arranhar e uma bandeja sanitária – equipamentos essenciais para gatos domésticos.

areia, serragem, ou produtos industrializados próprios, os "pipi cats". Pode-se utilizar uma bandeja de plástico ou de barro esmaltado, com cerca de 45 por 30 centímetros e com uma profundidade de no mínimo 4 centímetros, de modo que permita uma fácil limpeza e desinfecção. Tais bandejas apresentam a vantagem de um manejo fácil e são de preço baixo. Embora os materiais especialmente formulados para esse fim sejam mais dispendiosos, suas propriedades absorventes de calor e de odor tornam seu uso vantajoso. Para tornar melhor a absorção, coloque camadas de jornais no fundo da travessa, completando com a areia, a serragem ou o "pipi cat". Se você trocar a travessa todo dia, seu gato pode achar isso aceitável. A turfa é também usada por muitas pessoas. Mas ela pode conter germes e deve ser deixada previamente no jardim para que as temperaturas elevadas destruam tais germes.

Outros equipamentos

Pode ser também necessária uma escova para a limpeza do pêlo e um pente de dentes abertos, para os gatos de pelagem longa. Se seu gato não for capaz de passear fora de casa, suas garras podem crescer mais rapidamente que o desgaste natural, precisando ser cortadas ocasionalmente. Isso pode ser feito com alicates de unha comuns – seu veterinário mostrará como fazê-lo. Se seu gato

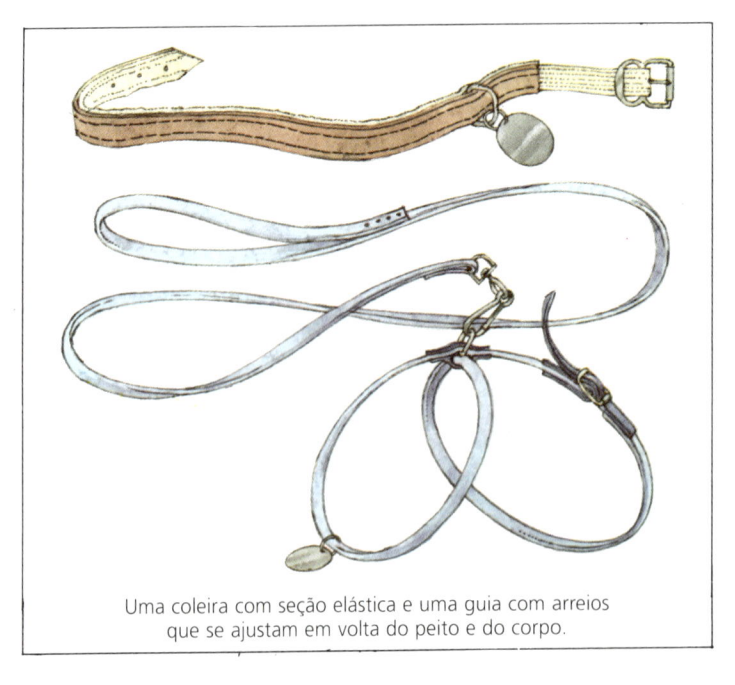

Uma coleira com seção elástica e uma guia com arreios que se ajustam em volta do peito e do corpo.

é um gato que fica fora de casa, então você necessitará de uma coleira com uma placa de identificação com seu nome e seu endereço. Assegure-se de que a coleira possui uma seção elástica de modo que, quando for preso em um obstáculo, ou num prego, o gato poderá desvencilhar-se dele. Se você pretende ensinar seu gato a passear, precisará de uma guia (ou corrente) e poderá preferir um arreio em vez de coleira, pois colocará menos pressão sobre o gato. Se você mora distante de uma farmácia ou de um veterinário, mantenha uma caixa de primeiros socorros adequada para seu gato, embora geralmente os produtos de uso humano sirvam, caso os utilize corretamente (normalmente na forma diluída). Mas seja cauteloso. *Jamais* administre *aspirina* aos gatos; *nunca* os desinfete ou faça alguma coisa com eles utilizando *ácido fênico*, *muito menos* os pulverize com *DDT*.

Você pode também gostar de comprar ou fazer alguns brinquedos para seu gato. Nas lojas de artigos para animais de estimação, freqüentemente existem camundongos de pano com erva-dos-gatos, cujo odor a maioria dos gatos adora (exceto alguns gatos orientais). Uma bola de tênis de mesa, um pedaço de barbante, um rolo de algodão, jornal ou uma bola de papel amassado poderão dar-lhes prazer inesgotável. As brincadeiras que eles praticam estão apenas limitadas ao grau de imaginação do dono e do próprio gato. Você pode descobrir logo se tem uma estrela de futebol em potencial ou um mero apanhador de objetos.

Uma portinhola para gatos instalada na parede ou no corpo da porta permitirá a seu gato acesso à casa sem perturbar você, mas isso o habilitará também a trazer seus amigos para casa! A portinhola deve ser leve ou contrabalançada, ou com a mola mais solta para não fechar muito rapidamente e prender a cauda do gato, embora deva ser suficientemente segura para não balançar com o vento e deixar entrar correntes de ar. Vários modelos comerciais estão disponíveis.

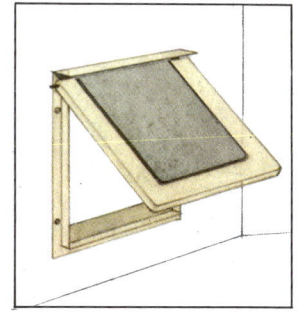

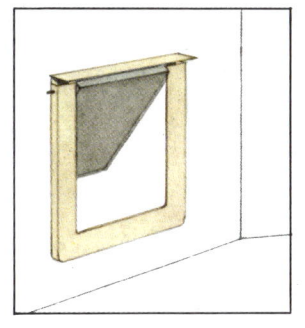

Uma passagem para gatos produzida comercialmente com portinhola vaivém.

Mantenha um registro simples de informações importantes acerca de seu gato e sobre sua saúde: não confie na memória. Um registro exato das vacinas, aparecimento dos sintomas, tratamentos, acasalamentos etc. será de inestimável valor tanto para você como para o veterinário.

Adestramento

Seu gatinho já foi treinado dentro de casa pela mãe e você só precisa mostrar-lhe onde está a bandeja para suas necessidades e incentivá-lo para usá-la. Outras lições são questão de paciência e firmeza. Decida quais as regras que você empregará, aonde ele pode ir e o que é permitido fazer, e *permaneça fiel a elas*. Jamais permita a um gato fazer alguma coisa numa ocasião e proíba na outra. O tom de voz deverá ser uma eficaz reprovação e uma pancadinha no nariz é o recurso mais enérgico que você pode usar. Os gatos são amedrontados facilmente com barulhos repentinos e muitas pessoas costumam bater em algum lugar com jornais enrolados, por exemplo, quando pulam sobre a mesa, onde não deveriam permanecer. Mas, se adotar este método, descobrirá que o gato o transformará numa brincadeira, provocando-o deliberadamente, para que você pegue o jornal.

Se você começar suficientemente cedo, pode ser capaz de treinar seu gato a passear com guia. Comece acostumando-o a usar a coleira ou o arreio, então coloque a guia e faça-o acostumar-se com ela, colocando-a por períodos de poucos minutos no início e permitindo-lhe arrastá-la. Quando estiver acostumado com a guia, você pode começar a segurar a outra ponta. Deixe primeiro a liderança para o gato, então puxe muito gentilmente e peça que siga seu caminho – palavras e frases simples serão entendidas mais rapidamente, como "Vem" ou "Aqui". Provavelmente, o gato resistirá ou poderá mesmo sentar-se. Insista por poucos momentos, dando ao gatinho um descanso antes de tentar novamente. As lições devem durar poucos minutos. Eventualmente, o gatinho poderá obedecer-lhe para evitar a puxada na corrente. Não dê trancos abruptos, e recompense-o quando ele fizer a coisa certa.

Os gatos orientais parecem aceitar mais rapidamente a guia que outros gatos. Muitos donos de gatos gostariam de saber como os Siameses foram adestrados para gozar de tal reputação, mas provavelmente seus gatos tenham começado seus treinamentos muito tarde ou os donos não tenham insistido com suficiente paciência. Muitos gatos juntam-se a seus donos para um passeio sem necessidade da corrente, mas existem vantagens óbvias em ter seus gatos educados à corrente, caso você more na cidade ou junto a uma estrada, ou quando quiser levar o gato numa longa viagem e necessite exercitá-lo em locais estranhos.

ENFERMIDADES DO GATO

Doenças virais

Existem duas doenças do gato muito sérias: a *panleucopenia* (enterite infecciosa felina) e a *gripe dos gatos* que é o nome popular da rinotraqueíte viral felina ou infecção por picornavírus felino; ambas são doenças respiratórias virais (também conhecidas como pneumonites nos Estados Unidos).

A enterite infecciosa felina é altamente contagiosa e geralmente fatal, especialmente entre os gatinhos, mas felizmente foram desenvolvidas vacinas seguras que garantem proteção. O gato afetado provavelmente ficará anormalmente quieto nos dois ou três dias que os germes levam para incubar, mas o vômito, que é freqüentemente prolongado e severo, parece ser o primeiro sintoma a ser notado. O gato produz espuma ou fluido corado com a bile. Podem ocorrer diarréia, febre e perda do apetite. O gato parecerá abatido e, embora obviamente sedento (a doença produz uma desidratação drástica), raramente beberá água, podendo ficar debruçado sobre a tigela de água. Nenhuma cura é conhecida para a doença, mas a vacina, mesmo que não tenha sucesso em assegurar uma imunidade total, dará ao gato resistência suficiente para lutar contra a doença e, com tratamento cuidadoso, conseguir sobreviver. Todos os gatinhos deveriam ser vacinados o mais cedo possível e injeções regulares de reforço devem ser administradas nas datas prescritas.

Ambas as doenças, conhecidas pelo nome de "gripe dos gatos", produzem sintomas semelhantes, embora um veterinário reconheça a diferença entre elas à medida que elas evoluem. Essas doenças não possuem nenhuma relação com a *influenza*, embora os sintomas de temperatura alta, espirros, coriza e corrimento possam ser semelhantes. Os gatos, como os seres humanos, espirram por qualquer motivo mas, se existir corrimento nasal, salivação excessiva e descarga ocular, chame o veterinário. Vômitos também podem ocorrer e a boca pode tornar-se ulcerada. A rinotraqueíte viral felina não possui um coeficiente de letalidade tão elevado como o da panleucopenia e, se não morrer dentro das primeiras 48 horas, o gato tem uma boa chance de escapar, desde que atendido cuidadosamente. Mas isso pode constituir-se numa tarefa extenuante, com a possibilidade constante de uma recaída. As vacinas contra essas doenças têm sido produzidas, mas até agora a imunidade conferida por elas é de curta duração.

Se você tiver motivos para suspeitar de que seu gato contraiu qualquer uma dessas doenças, deve avisar seu veterinário antes de levá-lo para o consultório, pois ele pode querer uma consulta especial, ou preferir ir à sua casa para reduzir o risco da disseminação da infecção. Se você possui outros gatos, deve mantê-los afastados do animal infectado. Entretanto, nada adianta pensar que o isolamento protegerá seu gato contra esses flagelos. Mesmo que seu gato nunca saia de casa ou que não tenha nenhum contato com outros animais, você mesmo pode introduzir a doença junto com seus sapatos e roupas – então, não corra nenhum risco e certifique-se de que ele esteja adequadamente vacinado.

A leucemia felina é uma outra doença viral. É um câncer do sangue e produz perda de peso e apetite, e uma debilidade crescente, embora, uma vez que pode afetar qualquer órgão do organismo, os sintomas variem enormemente. Nenhuma cura é conhecida. A doença parece ser transmitida pela mãe a seus gatinhos e existe certa dúvida se pode ocorrer a transmissão gato a gato.

Peritonite infecciosa felina é outro mal causado por vírus que ataca os gatos jovens. Febre, perda do apetite, lassidão e distensão abdominal por acúmulo de líquido são os sintomas, e o vírus parece ser semelhante ao que causa a leucemia mas, embora nenhum tratamento seja perfeito, é possível a recuperação.

A raiva é, na atualidade, virtualmente desconhecida na Grã-Bretanha em razão das estritas leis de quarentena que têm controlado a entrada de gatos, sendo todos eles vacinados ao deixar a quarentena. O Havaí é o único Estado americano com regulamentos semelhantes. Em qualquer outra parte, todos os gatos deveriam ser submetidos a vacinações anti-rábicas no terceiro mês de vida e a revacinações anuais. A infecção se dá pela saliva de um animal raivoso e transmitida se o animal morde ou lambe uma ferida recente. A tendência de se esconder no escuro seguida pela crescente inquietação e reação exagerada ao barulho são sintomas valiosos nos estágios iniciais da doença, mas um gato infectado pode atacar repentina e violentamente quem cruza seu caminho. Não existe nenhum tratamento. O gato morrerá dentro de poucos dias, devendo ser então cremado o mais cedo possível para impedir a disseminação da doença. Não se arrisque a ser mordido – jogue um pedaço de saco ou tecido sobre o gato e prenda-o debaixo de uma caixa.

Estas são as mais graves doenças que podem atacar um gato, mas existem muitas outras de menor importância que são tão comuns, que você pode se ver obrigado a conviver com elas por algum tempo.

Afecções comuns

Pulgas. Não obstante a limpeza e o cuidado com a criação, muitos gatos podem, ocasionalmente, adquirir pulgas, e mesmo mães livres de pulgas às vezes produzem uma ninhada de gatinhos infestados. As pulgas dos gatos preferem gatos e, embora possam escolher um hospedeiro humano na ausência de gatos disponíveis, parece improvável que elas permaneçam neste por muito tempo. O tratamento consiste na pulverização com talco para pulgas ou *spray* de aerossol (mas *não* com o DDT, que é venenoso para os gatos e pode ser fatal em fortes concentrações). Você pode, com o auxílio de um pente fino, retirar as pulgas da pelagem e espremê-las entre os dedos antes que elas saltem. O talco não deve penetrar nos olhos e nos ouvidos do gato. Coloque o gato sobre uma camada de jornal e polvilhe uma generosa quantidade de talco sobre o dorso do pescoço e massageie através do pêlo em direção à pele. Então trate o topo da cabeça, o pescoço, a cauda, a região lombar, o dorso, os flancos, as partes do ventre, as patas e os dedos, nesta ordem. Deixe o talco agir durante 10 minutos e então escove vigorosamente o animal para retirar o pó aplicado. Queime o papel. Pode ser necessária a repetição desse tratamento várias vezes até que o gato fique livre das pulgas.

Se seu gato passeia fora e parece contrair infestações novas e freqüentes de outros gatos, você pode preferir uma coleira antipulga, que consiste em uma faixa impregnada, que mata as pulgas quando elas sobem do corpo para a cabeça. Mas não é muito eficaz em gatos de pêlos longos, sendo desaprovada por alguns veterinários pela possibilidade de o produto químico concentrado ser absorvido pelo gato.

Provavelmente você será alertado para as pulgas quando seu gato apresentar-se coçando continuamente ou quando perceber pontinhos pretos de sujeira,

deixados pelas pulgas, quando o está escovando. Jamais negligencie esses sinais, pois o aparecimento da irritação e da arranhadura pode causar o desenvolvimento de eczema. As pulgas depositam seus ovos na cama e nas fendas e rachaduras, por isso trate qualquer lugar que as esteja criando para impedir nova infestação quando os ovos eclodirem. A cama descartável deverá ser queimada.
Sarna das orelhas. Uma outra afecção particularmente comum dos gatinhos é a sarna otodéctica, ou úlcera das orelhas, causada por um ácaro que vive no canal auricular. Os primeiros sintomas são as arranhaduras da orelha e o balanço da cabeça, a orelha parecendo suja numa inspeção e podendo haver uma secreção de cor marrom. O tratamento com medicamentos apropriados é eficaz mas pode ser muito demorado. A menos que você seja experiente, deixe que o veterinário realize o primeiro tratamento, efetuando a limpeza e aplicando então uma loção, e seguindo suas instruções para a quantidade e a freqüência do tratamento posterior.
Tinha (Ringworm). Trata-se de uma micose transmissível ao homem, particularmente a crianças, e caracterizada pela presença de placas aneladas na pele. Não perca tempo e deixe seu veterinário tratar dela. Muitas tinhas apresentam fluorescência sob a luz ultravioleta. Se você possui uma lâmpada de bronzear, pode ser um meio rápido de identificação, mas não deixe seu gato exposto à radiação ultravioleta por muito tempo. Em qualquer circunstância, procure imediatamente um veterinário.
Outros ectoparasitas. Gatos idosos ou doentes, que têm dificuldade em se manter asseados, podem ser acometidos de miíases (bernes) que cavam galerias debaixo da pele. As miíases nascem de ovos depositados nas feridas pela mosca varejeira azul, ou em volta do ânus, nos gatos com uma diarréia séria. Se você cuidar adequadamente de seu gato, é provável que ele não sofra desse mal. Carrapatos e piolhos são raramente encontrados em gatos mas podem ser tratados da mesma forma que as pulgas. O pequeno ácaro alaranjado das searas, encontrado em certos lugarejos na época da procriação, pode ser tratado com inseticidas à base de piretrina ou com um desinfetante fraco. A sarna do gato é causada por um ácaro, *Notoedres cati*, e se apresenta sob a forma de pequenas placas nas orelhas e na face, que podem espalhar-se e causar uma afecção muito séria da pele. O veterinário tratará com medicamento parasiticida. Esta sarna não pode viver no hospedeiro humano, mas pode causar uma irritação desagradável, caso parasite o homem.

Endoparasitas

Tanto os vermes (nematelmintos) como as tênias podem também parasitar os gatos. São facilmente tratados com vermífugos (mas siga os conselhos do veterinário em relação ao uso e à dosagem correta). Os vermes são muito pequenos e parecem pedaços finos de um barbante. Gatinhos infectados no útero da mãe apresentam como sintomas crescimento retardado, estômago dilatado, pele sem elasticidade, vômito e diarréia. Se você suspeita de uma infecção por vermes, coloque uma amostra de fezes do gato num recipiente limpo e leve ao veterinário. Ele será capaz de verificar facilmente os vermes num microscópio, mesmo que você não tenha sido capaz de identificá-los. As tênias podem não causar nenhuma alteração aparente na saúde do gato, mas tornam-no menos capacitado para enfrentar outra infecção que necessite combater. Algumas vezes, provocam perda do apetite; outras, um apetite exagerado. Provavelmente, você notará segmentos do próprio verme, semelhantes a grãos de arroz nas fezes, ou grudados nos pêlos em volta do ânus. As pulgas são hospedeiros intercalados das tênias, por isso recomenda-se manter o gato livre delas. Os ancilostomídeos são vermes muito mais raros, exceto nos climas quentes. Podem causar uma debilidade geral e o sintoma mais notável é uma diarréia sanguinolenta ou enegrecida. Vermes pulmonares são raramente encontrados, mas produzem tosses e respiração difícil, e os sintomas sugerem pleurisia e pneumonia. Outros parasitas parecem improváveis de ser encontrados, exceto os minúsculos vermes que vivem nos olhos, e que têm sido encontrados em algumas áreas, incluindo a costa oeste dos Estados Unidos. São facilmente removidos, mas com a administração de anestesia local – portanto é um serviço para o veterinário.

Outras doenças

Como o homem, o gato pode sofrer de numerosas outras doenças e disfunções orgânicas. Pode desenvolver tumores, cistos ou papilomas. A sobrecarga nos rins, especialmente nos idosos, pode causar uma nefrite. A pneumonia ou a pleurisia podem desenvolver-se nos casos de infecção respiratória. Uma alergia pode causar asma. A deficiência da vitamina D pode causar o raquitismo, e a deficiência do cálcio determina o enfraquecimento dos ossos. Um desequilíbrio hormonal pode causar a perda dos pêlos (alopecia). Uma substância irritante nos olhos pode desencadear uma conjuntivite. Os gatos, normalmente, possuem um coração bastante resistente, mas ocasionalmente podem sofrer de uma trombose repentina. Diferentemente dos cães, raramente sofrem de afecções artríticas. Fêmeas não-castradas podem desenvolver metrite ou piometrite, que são infecções do útero.

Constipação e diarréia podem ocorrer ocasionalmente. Estas jamais podem ser negligenciadas, pois podem ser sintomas de alguma coisa mais séria, mas normalmente não existe nenhum motivo de alarme. Para a constipação, uma pequena colher cheia de parafina líquida ou azeite de oliva (mas *não* o óleo de castor) pode resolver, ou um pouco de fígado cru pode ser um bom laxativo (cozido prende). A diarréia pode ser causada pelo leite, nos gatos que não conseguem digeri-lo, por excesso de fígado cru, alteração da dieta, ou algum alimento inadequado. Às vezes, a melhora ocorre cortando-se simplesmente a ração. Ovo batido cru, caso o gato aceite, ou um pouco de caulim em pó misturado à ração prenderá o intestino. Caso essas medidas simples não funcionem e a constipação ou a diarréia persistam por mais de 48 horas, podem ser então sintomas de algo mais sério e o gato deve ser levado ao veterinário. No caso de prostração, levar também uma amostra da evacuação para a análise.

Um gato que chora de dor quando urina, ou parece esforçar-se sobre a bandeja sanitária, urinando pouco, pode estar sofrendo de uma cistite, uma inflamação da bexiga, e é uma reclamação comum no gato. A urina provavelmente apresenta um forte odor de amônia e pode estar tingida de sangue. Às vezes, ocorre uma febre ligeira e o gato se apresenta muito sedento. Pode andar, embora os quartos traseiros estejam rígidos. Quando atacado por uma infecção bacteriana, o veterinário administrará antibióticos ou medicamentos sulfonamídicos, e pode recomendar que se adicione sal à comida do gato para fazê-lo beber mais água. Um cálculo cístico (pedra na bexiga), ou alteração na bexiga, pode causar sintomas semelhantes. Gatos machos com cálculo podem lamber a extremidade do pênis exposto e danificar a pele delicada. Se você puder sentir a bexiga como se fosse uma bola dura dentro do abdome, isto sugere que a urina não está sendo eliminada e é necessária uma assistência veterinária urgente. Não aperte a bexiga nesta condição, pois ela pode-se romper. O tratamento do cálculo exige uma cirurgia.

Alguns gatos, especialmente em idade avançada, sofrem de eczema, que pode ser de causa hormonal ou o resultado de uma alergia. Começa com pequenas placas na pele e podem-se espalhar para o corpo todo. É bastante irritante e o gato pode agravar a situação ao arranhar e lamber a área afetada. Leve o gato ao veterinário. Não experimente tratamentos amadores, pois o seu diagnóstico pode estar incorreto.

A vigilância

Assim que você começar a conhecer melhor seu gato, descobrirá que poderá reconhecer seu humor e perceber quando algo não vai bem, assim como você age com seus amigos e com sua família. Se estiver com um ar infeliz ou indisposto, procure descobrir os sintomas particulares. Se não tiver absoluta certeza da causa e se tiver dúvidas de que você mesmo possa resolver, não hesite em consultar o veterinário. Ele não vai achar que você está perdendo seu tempo. Uma vez que o veterinário não pode pedir a seu paciente para explicar os sintomas, você deve descrever cuidadosamente as alterações ou as condições que tem observado. Quando do asseio regular, faça uma inspeção rotineira nas orelhas de seu gato, à procura de secreções ou de parasitas, e dos olhos, à procura de conjuntivite ou descarga purulenta – lembre-se de que o aparecimento freqüente da membrana nictitante é um sinal de perigo. Verifique a boca, atentando para a formação de tártaro nos dentes, que pode causar uma gengivite; ou procure achar a própria gengivite – inflamação avermelhada das gengivas –, que pode ser também sintoma de uma doença mais grave; dentes caídos, que podem causar um abscesso, e feridas, que podem ulcerar caso não sejam tratadas. Gengivas amareladas ou de coloração marfim podem indicar anemia ou um comprometimento hepático. As gengivas devem ser de coloração rósea. Assim deve ser também a língua. Se a ponta da língua for de uma coloração vermelho-brilhante, isso pode indicar uma infecção viral. Não se esqueça de verificar as patas e os coxins plantares, unhas quebradas e a presença de espinhos e lascas, que podem causar dificuldades, se ignorados.

Acidentes e ferimentos

Os gatos, especialmente os que vivem nas cidades, estão mais ameaçados por acidentes que por doenças. Acidentes de rua são os responsáveis, na maioria dos casos, por patas quebradas (se não for pior o dano), e precisam ser tratados, e os abscessos que se desenvolvem a partir de ferimentos adquiridos em lutas são responsáveis por uma outra grande proporção de casos observados pelos veterinários. Não tente tratar um gato traumatizado num acidente de estrada, a não ser que esteja perdendo muito sangue e você saiba onde e como aplicar um torniquete. Um lenço dobrado ou um chumaço de algodão colocado sobre uma ferida deve ser suficiente para estancar a perda de sangue num ferimento pequeno. Leve-o imediatamente a um veterinário ou leve o veterinário até o gato. Levante com cuidado o animal machucado, usando uma capa ou um tapete – mexa o menos possível num caso desses pois poderá traumatizá-lo internamente. Se estiver a seu alcance, use luvas pois, com a dor que ele sente, pode morder ou arranhar qualquer um que o tocar. Deite então o gato sobre um tapete, dentro de uma cesta ou numa caixa. Mantenha-o aquecido e movimente o menos possível durante o caminho para o veterinário. Você pode ter achado que não fez muita coisa para aliviar sua agonia, mas essa atitude impediu que ele se machucasse ainda mais, ou que se arraste dali até encontrar a morte.

Se seu gato está mancando e você acha que ele fraturou algum osso, pode-se fazer um teste de fratura de perna colocando-o delicadamente sobre a mesa e comparando a perna suspeita com a outra. Os comprimentos das pernas são diferentes? Estão pendendo de maneira diferente? Tenha um assistente para manter o gato em cima da mesa, segurando a pele do pescoço com uma das mãos, e, para manter o peso do gato em outra mão, segure-o por baixo do peito. Se você acha que é a perna posterior que está machucada, levante então levemente o peito, assim o peso do gato será sustentado pelas pernas posteriores. Todo o peso vai ser sustentado por apenas uma perna posterior e, quando o gato tocar a mesa com a perna machucada, ele a recolherá. Se você achar que a pata anterior está com fratura, movimente o gato em direção à borda da mesa. A maioria dos gatos se afastará instintivamente da borda e, se o próprio gato puxar o corpo para a frente, usando a pata suspeita, você poderá estar razoavelmente certo de que a pata não está quebrada.

As mordeduras, arranhaduras ou ferimentos causados por cacos de vidro ou por latas podem ser limpos com um anti-séptico fraco para impedir uma infecção. Jamais utilize o ácido fênico ou qualquer preparação que contenha alcatrão da hulha ou o fenol, pois eles podem prejudicar os gatos. Se a hemorragia continuar, é necessário aplicar o torniquete, e, se o corte for profundo, provavelmente o veterinário necessitará suturar a ferida. Os ferimentos dos gatos geralmente se cicatrizam muito rapidamente e os ferimentos mais leves não precisam de muita atenção. Os mais sérios são os ferimentos que você não consegue notar até que passe algum tempo após sua ocorrência. Depois de uma luta, provavelmente, o gato ficará escondido e, literalmente, a ferida se abrirá e então ele começará a lambê-la antes de que você a note. Não a trate com anti-séptico. A salmoura ou um desinfetante será melhor. As feridas penetrantes, em que dentes ou unhas penetram profundamente, mas que deixam só um pequeno orifício na pele, podem cicatrizar na superfície deixando abaixo uma ferida infectada, desenvolvendo-se então um abscesso. O pus deve ser drenado com um pedaço de pano embebido em salmoura quente. Torça o pano e aplique-o enquanto estiver quente e ainda soltando vapor. Repita a operação logo que este comece a esfriar. Após 10 a 15 minutos, deixe a pele secar e, então, aplique novamente o mesmo tratamento, depois de ter passado quatro ou cinco horas. Abscessos de ouvidos, pescoço, articulações e de cauda são muito perigosos e devem ser tratados pelo veterinário. Peça seu conselho em qualquer oportunidade, pois ele pode querer aplicar uma dose de antibiótico como medida de segurança. Continue com o banho mesmo depois que o abscesso se romper, pois é preciso ter certeza de que toda a secreção infectada foi removida, ou um outro abscesso se desenvolverá mesmo depois que a superfície da pele esteja cicatrizada. Depois que o abscesso romper, acrescente o peróxido de hidrogênio à água do banho. Ele ajudará na remoção do pus e diminuirá o cheiro, o que por sua vez poderá também diminuir a reação instintiva do gato em lamber a ferida.

Os gatos são grandes caçadores de insetos e, quando jovens, podem tentar agarrar uma abelha ou uma vespa; à medida que se tornam mais velhos, a experiência lhes ensina a selecionar suas presas. As picadas próximas dos olhos ou da boca podem atrapalhar a respiração e devem ser tratadas pelo veterinário, mas raramente tornam-se problema, embora as picadas nos lábios ou no queixo possam causar grandes edemas. Retire o ferrão com as unhas ou com uma pinça e passe um pouco de pomada anti-histamínica, caso você a tenha, e tudo deve sair bem.

Acidentes domésticos

Treine seu gato para não subir no fogão, mesmo quando estiver frio – pois ele não terá nenhum meio de saber quando está quente e os coxins plantares queimados são extremamente dolorosos. Se ocorrer um acidente desse tipo, unte as patas com vaselina e envolva-as em um pano macio. Isso alivia a dor e evita a ventilação. Não tente enfaixá-las. A maioria dos gatos logo aprende os perigos normais do fogo e da chama de uma vela, e um ou dois bigodes sacrificados a título de experiência não fará nenhum mal. Além disso, para sua própria segurança, não deixe descoberto o fogo quando não estiver em casa.

Os gatos freqüentemente ficam mais escaldados que queimados e geralmente é mais por causa da falha do proprietário – encostando no cabo de uma panela quente ou de uma chaleira com excesso de água, que repentinamente inala água fervente. Escaldaduras graves devem ser tratadas por um veterinário e casos mais leves podem ser aliviados cobrindo a área afetada com a vaselina ou com azeite de oliva. Se uma camada da pele se soltar deixando a pata esfolada, esta necessitará de um tratamento especialmente cuidadoso. Depois que a pele secar, a escaldadura não deve mais ser notada. Se tiver sinal de alguma coisa derramada, e se seu gato demonstrar dor quando você o tocar, a causa pode ser essa.

Substâncias corrosivas podem ser tão perigosas quanto o fogo. Não só ácidos mas também substâncias cáusticas, parafina (querosene), alcatrão, creosoto, verniz para madeira, a maioria das tintas e os removedores de tintas – e os gases emanados – são todos prejudiciais aos gatos. Conserve-os em locais fora do alcance dos gatos, que devem ficar bem afastados quando você os estiver usando e enquanto ainda não estiverem secos. O ácido da bateria, o respingo de óleo no chão da garagem ou a cerca recentemente creosotada são os perigos típicos. Eles atuam na pele, caso atinjam só o pêlo, queimam a língua do gato e podem ser engolidos quando o gato tenta limpar-se. Remova o ácido colocando o gato dentro de um balde de água, no qual você acrescentará uma quantidade generosa de bicarbonato de sódio. Trate a lesão e proteja as suas mãos contra as queimaduras usando luvas de borracha. Caso você não saiba o que causou a queimadura, coloque o gato na água comum para diluir a substância e então envolva-o num cobertor e corra a um veterinário. O gato não gostará, por isso esteja preparado para uma luta. O creosoto pode ser removido com azeite de oliva ou parafina medicinal. Um líquido removedor fraco retirará o querosene – mas, depois, enxágüe-o bem. Não use terebintina ou outros solventes para remover a tinta. Para isso, corte o pêlo, se for necessário. Não corra riscos. Leve o gato ao veterinário para certificar-se de que tudo está bem.

Cacos de vidro, espinhos ou lascas de madeira podem-se encravar nas patas. Se o gato estiver mancando, pode ser esta a causa. Uma pressão delicada ou um par de pinças podem tirá-los se eles ainda estiverem salientes. Você precisa de mais alguém para conter o gato. Lave as feridas depois com um anti-séptico de ação moderada e certifique-se de que não resta nenhuma sujeira. Se a ferida já se tornou infectada, será melhor deixar para que o veterinário tome as providências.

Agulhas para costura podem cair fora da caixa sem ser notadas e penetrar no gato. Desde que não tenham sido quebradas, são facilmente retiradas e a ferida não será séria. Se tiver uma linha de algodão atada à agulha, o gato pode brincar com ela e a agulha se alojar na boca. Não é motivo para alarme: se você for calmo e não entrar em pânico, poderá você mesmo retirá-la, mantendo a boca aberta como se estivesse administrando uma pílula (*veja a figura*) e segurando a agulha com um alicate. Se você duvidar de sua habilidade para extraí-la, leve o gato ao veterinário. Se estiver sob pressão, causará um pouco mais de dano durante o caminho ao veterinário. Se você acha que o gato pode ter engolido uma agulha, a primeira ação deve ser o raio X com o veterinário. Os gatos adoram brincar com linhas e barbantes. Seja, então, cuidadoso assegurando-se de que as agulhas estarão sempre guardadas com segurança.

Algumas vezes, um gato engole um pedaço de barbante. É quase certo que passará normalmente pelo trato digestivo, mas o gato irá arrastar um pedaço dele através do ânus. Se isto acontecer, não puxe o barbante. Com alguém segurando o gato, e certificando-se de que você realmente sabe o que está fazendo, tente puxá-lo muito delicadamente. Se houver qualquer resistência, deixe-o para que seja eliminado naturalmente e não arrisque o revestimento interno puxando a linha através do reto. Se andar pendurando um pedaço longo, corte-o (cuidando para não puxá-lo ao assim proceder) não mais que 3,5 centímetros. Dessa forma, não será demasiadamente longo para o gato poder brincar e machucar-se. Caso o fio não saia logo, deve ser consultado o veterinário.

Choque elétrico

Não é freqüente um gato morder os fios elétricos, mas treine seu gato para não brincar com eles e evite fios estendidos desnecessariamente dentro de casa. Se um gato morder o fio no local de emendas, não será capaz de se soltar do cabo. Desligue a corrente antes de qualquer outra providência. O choque poderá provocar no gato a micção. Cuidado com o seu procedimento seguinte – a urina é boa condutora de eletricidade. Caso você não consiga desligar a corrente, use luvas ou botas de borracha para se isolar, antes de tentar puxar o gato, e esteja certo de que não existem outros contatos que podem fazer conexão com o solo ou com a terra. Uma vez libertado o gato, você poderá aplicar a respiração artificial. Se possível, faça isso enquanto alguém o esteja conduzindo para o veterinário. Existe o risco de uma falha cardíaca e o atendimento do veterinário é urgente.

Venenos

Jamais deixe substâncias venenosas acessíveis aos gatos, inclusive o DDT, desinfetantes à base de ácido fênico, herbicidas, pesticidas e produtos quími-

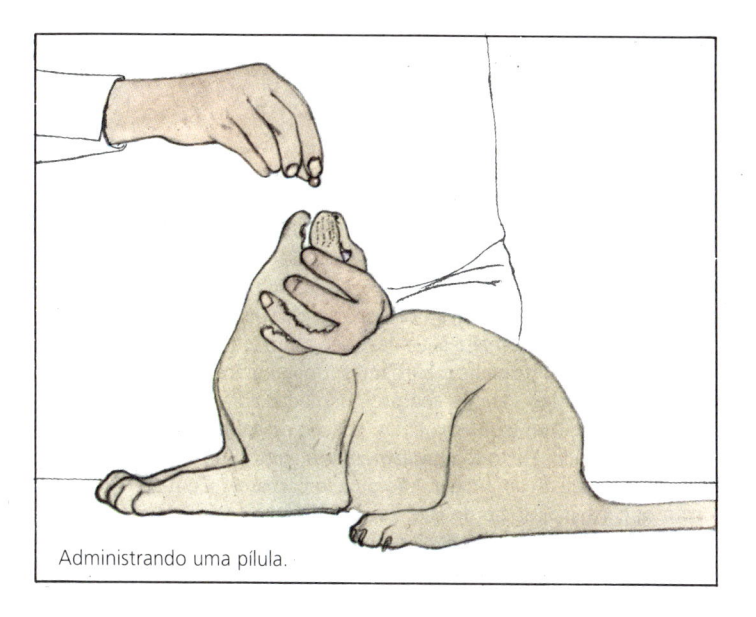

Administrando uma pílula.

cos de uso doméstico. Leia as bulas e procure os antídotos para os venenos mantidos em sua casa e deixe-os armazenados também. Com tantos produtos químicos para jardinagem e para a agricultura atualmente em uso, o gato pode facilmente comer um camundongo, um pássaro ou uma mosca quimicamente envenenados, mesmo que não ingira diretamente o veneno. Cogumelos e outros venenos naturais são tão perigosos para os gatos como para os seres humanos. As plantas, tais como o loureiro, o filodendro e a *dieffenbachia*, são também venenosas. Se você sabe que venenos estão sendo aplicados na vizinhança para o controle de roedores ou para algum outro propósito, descubra quais são os venenos, que sintomas produzem e quais antídotos devem ser usados. O funcionário do órgão da saúde deve estar capacitado para fornecer-lhe tal informação. Guarde uma mistura de um "antídoto universal" – uma farmácia pode fornecer-lhe. Geralmente, consiste em óxido de magnésio, carvão e ácido tônico, e você mesmo pode fabricar numa situação de emergência, a partir do leite de magnésia, torrada queimada e um chá forte. Dizem que essa mistura é capaz de absorver uma quantidade de veneno à base de alcatrão até quinze vezes superior ao peso e uma quantidade de estricnina 100 vezes superior. Para um gatinho, deve ser administrada pelo menos uma colher das de sopa cheia, de preferência duas; um gato adulto deve ingerir o dobro dessa quantidade.

É improvável que você veja seu gato ingerir veneno, então os sintomas, tais como vômito, diarréia, tiques e olhares nervosos, perda da consciência e dores estomacais óbvias são os que irão atrair sua atenção. Mas podem também ser sintomas de outras doenças. Se você acredita firmemente que seu gato foi envenenado, dê-lhe o antídoto certo. Caso você descubra, e se a mistura universal não funcionar, como último recurso para provocar o vômito administre água oxigenada diluída numa quantidade de água doze vezes superior (mas não quando a boca estiver queimada). Leve-o então ao veterinário tão logo seja possível.

Cuidados com um gato doente

Um gato doente precisa ser mantido limpo e confortável, e sua manifestação de afeto e de atenção pode animá-lo a se recuperar, mas não pode ser molestado pois, provavelmente, necessitará de bastante sono para se recuperar. Faça uma cama confortável, com cobertores velhos e jornais, e coloque-o num lugar quente e silencioso, distante da claridade e livre de correntes de ar. Uma garrafa de água quente (freqüentemente trocada para mantê-la sempre quente) também ajudará. Troque a cama quando estiver suja. Certifique-se de que há água fresca por perto e coloque a bandeja sanitária num local de fácil alcance. Os inválidos, idosos ou gatos muito doentes às vezes precisam ser carregados duas ou três vezes ao dia para a bandeja sanitária e fazer uma pequena limpeza após sua utilização.

Siga sempre, cuidadosamente, as instruções do veterinário. Caso você não esteja absolutamente certo do que deve ser feito, peça-lhe para repetir e explicar qualquer orientação que não tenha entendido. É preferível que você aja dessa maneira a ter que enfrentar riscos devidos às más interpretações. Anote cuidadosamente todas as alterações e melhoras no comportamento do doente, não obstante quão insignificantes pareçam ser: assim você as relatará com exatidão para o veterinário. Mesmo quando achar que seu gato está inteiramente recuperado, mantenha-o em tratamento, ou poderá ocorrer uma recaída. Suspenda o tratamento só quando o veterinário disser para parar.

Todos os gatos doentes gostam de se assear um pouco mais, pois assim auxiliam seu moral. Lave-lhes os olhos e limpe o nariz com salmoura morna, se eles demonstrarem necessidade. Se a pele do nariz ou a dos lábios apresentar rachadura, passe um pouco de óleo de fígado de bacalhau. Mantenha a dieta recomendada pelo veterinário. Se o gato se recusar a comer, ofereça-lhe um pouco de sua comida favorita (caso não seja proibida) para estimular seu apetite. Caso você saiba, antecipadamente, que seu gato será anestesiado, então não o alimente na noite anterior (ou em qualquer período em que o veterinário exigir).

Pílulas e medicamentos

Atenção e amor são necessários em qualquer situação de doença, mas não curam o paciente. Alguns medicamentos serão administrados por meio de injeções nos tecidos musculares ou nas veias, mas há os que são administrados em casa, geralmente em forma de pó, pílula ou líquido. Apresentações em pó são as mais fáceis de administrar – simplesmente você o mistura na comida do gato. Se o gato se recusar a aceitá-lo, rejeitando várias refeições seguidamente, o veterinário deverá tentar uma outra solução. Alguns gatos aceitam a pílula facilmente, muitos não. Até ganhar experiência, você pode achar que precisa de um assistente para segurar o gato enquanto você administra a medicação. O assistente deve segurar as patas anteriores do paciente e delicadamente prender o traseiro do gato, enquanto você segura a cabeça dele por cima, como se estivesse segurando uma bola. Movimente o crânio para a frente e para trás, apertando delicadamente a parte lateral da boca com os dedos. Segure a pílula com a outra mão e force a abertura da mandíbula inferior. Não coloque o dedo entre os dentes do gato, mas pressione a gengiva para manter a boca aberta enquanto você deposita a pílula para trás da língua. Imediatamente, segure-o com a boca fechada e pressione a garganta com movimentos descendentes até ter certeza de que o gato engoliu a pílula. Não solte o gato até ele lamber os lábios, pois ele pode estar guardando a pílula na boca, pronto para cuspir assim que você virar as costas. Algumas pílulas tendem a derreter-se na boca se não forem engolidas, e o gato poderá achar muito desagradável. Assim, caso não tenham sido engolidas, deixe que o gato cuspa e tente novamente. Com experiência, você será capaz de administrar a pílula sozinho. Você pode segurar o gato sobre a mesa ou deitando-o de costas para reduzir sua resistência.

Os medicamentos líquidos podem ser administrados com colher ou com uma pequena seringa (sem a agulha), depositando atrás da língua, de maneira semelhante à pílula. Se for uma dose grande, administre-a em vários estágios, para que não haja o risco de o gato engasgar e tossir. Um outro método é segurar a cabeça do gato horizontalmente enquanto você puxa um pouco da pele debaixo da mandíbula superior e deposita ou deixa escorrer o medicamento no espaço entre os dentes. Em ambos os casos, mantenha a boca do gato fechada e, em seguida, alise sua garganta com os dedos.

Caso um medicamento ou uma pílula, que não seja propriamente um emético, produza vômito não apenas por um simples caso de recusa de ingestão, informe o veterinário, pois pode significar que seu gato seja alérgico àquele medicamento em particular.

Respiração artificial

Deite o gato em decúbito lateral e pressione delicadamente seu peito, relaxe a pressão e aplique-a novamente, de maneira rítmica, com aproximadamente 4 segundos de intervalo entre cada movimento. Alternativamente, você deve pegar a boca do gato e fazer a respiração boca a boca.

Bandagem

Como a pele do gato cicatriza rapidamente, existe pouca necessidade de enfaixar os ferimentos mais leves, a menos que você precise tratá-los com pomadas que possam ser perigosas ao gato se forem lambidas, ou se o gato insistir em lambê-los, retardando a cura. Você pode precisar também atar as patas do gato para parar a arranhadura da área irritante, que logo pode tornar-se cruenta e reabrir a ferida. Se o gato precisa de atadura, então deve ser bem enfaixado, caso contrário ele pode arranhar ou morder a bandagem e soltá-la logo depois.

Sempre coloque a atadura de maneira nivelada e por igual. Envolva-a firmemente, mas não muito apertada, para não interferir na circulação. Não amarre as extremidades nem as prenda com alfinetes de segurança. Use sempre as fitas adesivas que podem ser sobrepostas na faixa e aderidas parcialmente ao pêlo para manter a faixa em posição. Pode-se empregar uma gaze comum ou ataduras de crepe, e uma atadura tubular pode ser utilizada nas patas para que o gato pare de coçar. Um colar elisabetano (colar de contenção), feito de cartolina, impede o gato de lamber e morder as feridas, ou de coçar os olhos ou os ouvidos afetados. Confeccione-o a partir de uma cartolina circular (serve uma caixa grande e aberta) de aproximadamente 30,5 centímetros de diâmetro. Corte fora um arco de aproximadamente um terço do círculo e corte por dentro um círculo menor, de aproximadamente 9 centímetros. Experimente colocar no pescoço do gato e faça alguns ajustes necessários; abra então os orifícios ao longo das margens sobrepostas e cubra com fitas adesivas a margem interna para não atritar o pescoço do gato. Coloque o colar no pescoço do gato, juntando as margens e amarrando o arco para fazer um laço, de maneira que o colar possa ser removido facilmente, mas sem deixar uma sobra na extremidade para que o gato não possa puxá-lo. Você deve retirar o colar para que o gato possa alimentar-se e lavar-se – mas observe se ele não fará exatamente aquilo

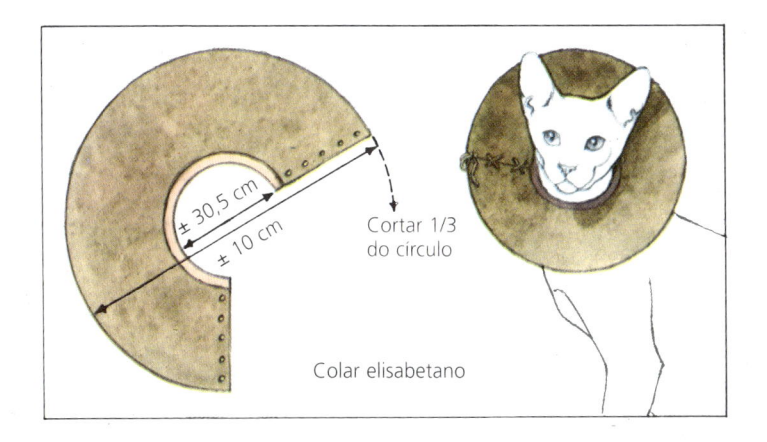

± 30,5 cm
± 10 cm
Cortar 1/3 do círculo
Colar elisabetano

que o colar pretende prevenir. Jamais deixe um gato usando o colar elisabetano fora de casa, pois restringe seu campo de visão e pode causar acidentes, tornando-o muito vulnerável a um ataque.

Como tirar a temperatura do gato

A temperatura do gato é obtida pela inserção de um termômetro de vidro grosso no reto. O termômetro fino, usado no homem, é muito frágil e não deve ser usado. Atualmente existem termômetros digitais flexíveis, que causam menos desconforto ao animal e apresentam riscos menores de acidentes, pois não se quebram como o vidro. O termômetro deve ser lubrificado e inserido delicadamente; pode ser girado mas jamais empurrado à força. Lembre-se também de que deve retirá-lo delicadamente. O gato não vai gostar da operação, portanto mantenha-se calmo e confiante, e tenha alguém mais para segurar firmemente os ombros e os membros dianteiros do gato. Enquanto você segura o abdome com uma mão, introduza o termômetro com a outra. Se você tiver alguma dúvida sobre sua habilidade em executá-la apropriadamente, não corra riscos – e jamais tire a temperatura do gato desnecessariamente.

A temperatura normal de um gato é de aproximadamente 38,5°C. Uma temperatura superior a 39,3°C sugere algum tipo de infecção e qualquer leitura além de 39°C significa que você deve consultar o veterinário.

Hotéis para gatos

Alguns gatos particularmente mais humanizados apreciam uma viagem, especialmente se for para casa de campo ou uma viagem de fim de semana mais em família. Para jornadas curtas, eles precisam só de um cesto; para jornadas mais longas, leve a bandeja sanitária ou, então, esteja preparado para parar para que ele se alivie; nestes casos, naturalmente, devem estar mantidos na corrente. Mais freqüentemente, é preferível arranjar alguém para tomar conta do gato enquanto você estiver ausente. Deixe instruções claras a quem estiver tomando conta dele, para que quando retornar não encontre um gato superalimentado e mal acostumado, que não concorde em retornar a sua disciplina normal. O ideal seria chamar alguém conhecido para tomar conta do gato. Como alternativa, peça a um amigo ou ao vizinho para alimentá-lo e cuidar da bandeja sanitária, e para dar um pouco de atenção a ele. Um gato acostumado ao ar livre vai procurar a porta de um vizinho para ganhar seu jantar enquanto você estiver fora, mas você corre o risco de perder o gato – ele pode achar que o lar do vizinho é melhor. Se não tiver ninguém a quem você possa confiar os cuidados de seu gato de maneira adequada, e você precisa viajar, deve deixá-lo num hotel para gatos. Na Inglaterra, os hotéis para gatos devem ser registrados e atender a determinados padrões, mas você deve estar sempre atento para previamente inspecionar uma hospedaria antes de decidir deixar o gato pela primeira vez lá. Se for por uma permanência mais demorada, deve existir um espaço ao ar livre adequadamente cercado, a fim de evitar contato com outros gatos ou outros animais. Deve possuir piso de pedra ou de concreto, que são mais fáceis de desinfetar. Surtos ocasionais de infecção ocorrem nas melhores hospedarias mas esses cuidados podem diminuir o risco. O alojamento deve estar seco e livre de correntes de ar, mas com luz e ventilação suficientes e, quando necessário, uma forma segura de aquecimento. O proprietário do hotel espera que você tenha os certificados em dia para provar que o gato está imunizado contra enterite infecciosa felina – portanto verifique se as vacinas de reforço estão em dia. Pense duas vezes antes de deixar seu gato em hotéis que não insistem neste fato. Caso seja permitido, deixe também uma almofada ou o brinquedo preferido dele e um bilhete no caso de uma dieta especial. Não espere que o hotel siga uma dieta meticulosa, portanto só especifique uma dieta estritamente necessária sob o aspecto médico. Por sua vez, você pode também encontrar seu gato mais magro ao voltar da viagem.

Jamais deixe um gato doente ou convalescente num hotel, a menos que seja absolutamente inevitável, e então explique a situação para o proprietário. Se você for forçado a deixar um gato doente, peça ao veterinário para encontrar uma acomodação para ele. Gatos mais idosos, acostumados a uma estada regular em hospedarias, podem ser levados sem muita preocupação, mas a mudança pode ser muito grande para um gato em crescimento que nunca tenha passado por tal experiência.

Mudança de casa

Tome as providências necessárias com bastante antecedência, para que o gato tenha uma jornada confortável e para não se perder. Quando você alcançar seu destino, não o solte logo de início, mas mantenha-o preso dentro de casa por alguns dias, para ele poder identificar seu novo lar. Se você estiver mudando-se de uma casa no interior para um apartamento na cidade, em prédio de vários andares, e caso o gato esteja acostumado a uma vida mais livre, será muito mais generoso pedir aos novos ocupantes de sua casa para tomar conta dele ou que seja adotado pelos vizinhos que já o conhecem.

Viagens

Para uma longa viagem, não o alimente ou dê líquidos por cinco ou seis horas, assim você reduzirá os problemas de toalete. Para viagens acima de 24 horas, dê-lhe uma refeição na viagem. Numa viagem curta, o gato gosta de observar a paisagem, mas um cesto coberto estimula-o a dormir numa viagem mais longa. No entanto, fique certo de que tal cobertura não interfira na ventilação. Se o gato for muito nervoso, o veterinário poderá concordar em prescrever-lhe um tranqüilizante – mas mantenha exatamente a dose recomendada. Muitos gatos, especialmente os Siameses, vão vocalizar bastante no começo da viagem. Isso acontece muito mais provavelmente devido ao interesse e à excitação que pelo medo, mas junte-se à conversa pois você o deixará mais seguro.

Se você despachar o gato por ferrovia, certifique-se de que alguém o receba na estação de chegada. Os gatos normalmente tornam-se bons marinheiros e chegam a apreciar uma viagem marítima – no passado sempre houve gatos do mar. As companhias aéreas possuem regulamentos próprios e fornecem uma casinha de transporte especial para gatos. Se você vai viajar com o gato, verifique primeiro os regulamentos.

Quarentena

Para restringir a disseminação da raiva e outras doenças perigosas, o Havaí e países como a Inglaterra, a Austrália e o Eire, insistem em que todos os animais domésticos que possam carreá-las sejam obrigados a passar seis meses em quarentena, a partir da chegada ao país. Isso pode causar um grande transtorno, tanto ao gato como a seus proprietários. Se você está de mudança permanente para aqueles países, pode ser um transtorno apenas temporário. Mas, se você está apenas visitando, é melhor deixar seu gato, a menos que esteja indo para outro país após um trânsito muito breve, e em cuja situação seria melhor deixar o gato em quarentena e reavê-lo logo em seguida, em vez de ter que deixá-lo por uma estada muito mais longa num hotel. Outros Estados dos Estados Unidos exigem os certificados de saúde para todos os gatos estrangeiros.

Os gatos e a legislação

Não existe nenhum acordo internacional a respeito da proteção aos gatos e quanto às responsabilidades dos proprietários de gatos. Na Grã-Bretanha, por exemplo, um gato não paga impostos mas é protegido pelo estatuto que protege todos os animais contra a crueldade e o abandono. Qualquer pessoa que cause prejuízo a um gato por meio de crueldade ou ferimento estará sujeita a compensar seu proprietário, e qualquer proprietário que falhe na proteção de seu gato contra a crueldade ou cause crueldade pela negligência, estará sujeito a uma multa ou à prisão, ou a ambos. Qualquer pessoa que realize uma operação sem humanismo ou sem os cuidados devidos, ou que permita a realização de tal operação num gato sob sua guarda, poderá ser punida de maneira semelhante. No entanto, como está classificado como animal selvagem, não existe nenhuma exigência em notificar um acidente rodoviário envolvendo um gato, e os proprietários ingleses não são responsáveis pelas faltas de seus gatos, mesmo que estes matem o pássaro do vizinho ou estraguem suas plantas premiadas.

Nos Estados Unidos e em países como os da Comunidade Britânica, um gato possui certa proteção contra a crueldade. Nos Estados Unidos, as legislações específicas variam de Estado para Estado, e mesmo de município para município. Em Saddle Brook, Nova Jersey, os gatos devem ser registrados e usar um sino. No Estado de Nova York, qualquer gato que for encontrado caçando ou matando pássaros pode ser morto, humanamente, por qualquer pessoa acima de 21 anos que porte uma licença de caça.

Procure descobrir se existe alguma legislação especial que se aplique para sua cidade. Se você estiver numa casa alugada, a locadora poderá exigir uma licença especial ou mesmo proibi-lo de manter um gato.

Sociedades de proteção aos gatos

As organizações gerais de bem-estar animal, tais como as Sociedades de Proteção ao Gato e a Sociedade Humanitária, zelam por um tratamento melhor aos gatos, bem como a outros animais, denunciando judicialmente as crueldades e educando o público em suas atitudes em relação aos animais de estimação. Organizações como a Cruz Azul e a Sociedade Protetora dos Animais oferecem tratamentos grátis ou baratos e, caso você tenha uma escola de veterinária em sua cidade, quase certamente encontrará um Serviço de atendimento clínico gratuito. Muitos veterinários empregam parte de seu tempo nessas clínicas e mesmo alguns dedicam horários especiais para manter clínicas gratuitas. Desta forma, não há nenhum motivo para que o gato deixe de ser tratado convenientemente sob a alegação de falta de dinheiro.

A CRIAÇÃO DE GATOS

As fêmeas, normalmente, alcançam a maturidade sexual entre 5 e 9 meses de idade. Elas podem desenvolver uma necessidade obsessiva de dar e receber afeto mais que de costume. Elas se esfregam nas pessoas ou nos objetos, abandonam-se no chão deitadas de costas, rolam cheias de excitação ou saem correndo selvagemente. Elas gritam como se estivessem sendo torturadas. Muitas vezes, o proprietário leva a gata ao veterinário com esses sintomas pensando que ela está seriamente doente. Mas ela não está doente. Simplesmente, ela está no cio.

Existem muitas fêmeas que raramente apresentam esses sintomas, ou talvez existam proprietários muito desatentos. Existem outras gatas, particularmente as siamesas, que fazem a vizinhança chamar a polícia para impedir a tragédia que pensa estar para acontecer, como um marido tentando assassinar a esposa, a menos que você avise o que normalmente significam aqueles chamados dolorosos. A maioria das gatas está no meio-termo. Seus chamados e o odor especial que elas produzem durante o estro informarão os machos a quilômetros de distância de que elas estão prontas para o acasalamento.

A freqüência com que as gatas entram no cio varia consideravelmente de gata para gata, e também da localização, da época do ano, do tempo e do ambiente, tudo podendo afetar a forma de sua manifestação. As gatas orientais parecem entrar no cio particularmente com maior freqüência, pouco se relacionando com o calendário. Estudos de laboratórios sugerem que as fêmeas entram no cio a cada duas ou três semanas, entre os meses de janeiro e fevereiro, e novamente em junho e em julho, mas em intervalos menos freqüentes. Entretanto, a experiência de milhões de proprietários de gatos torna discutível essa afirmação categórica. O cio pode durar apenas três dias no caso de ter um macho disponível e, às vezes, por mais de uma quinzena, caso não haja. Uma gata pode não estar muito apta a aceitar um macho durante o primeiro cio, mas, de qualquer modo, é melhor esperar que a gata amadureça antes de ter que cuidar dos filhotes – ainda há muito tempo. Conhecem-se casos de fêmeas com idade de 20 anos que produziram filhotes.

Se você espera cruzar uma fêmea, mas sente que ela ainda está muito nova ou existe algum motivo para não proceder dessa maneira, no momento, devido a uma mudança inadiável ou por causa de um feriado, mantenha-a presa em casa. Você tem que observá-la de perto, pois o instinto do acasalamento é muito forte, e deve evitar deixar uma janela ou qualquer saída abertas. Se ela for uma gata que vive solta e não é treinada para a bandeja sanitária, ou a necessidade do acesso a outros gatos significa que não possa ser mantida dentro de casa, existem então pílulas que a impedirão de ser fertilizada. Embora o uso ocasional do medicamento não apresente nenhum efeito colateral conhecido, obviamente é melhor não interferir no ciclo natural e é preferível ter a gata castrada a continuar administrando a pílula. De maneira semelhante, não se deve impedir, com persistência, que uma gata se acasale, caso contrário podem se desenvolver desordens sérias no sistema urogenital.

Os machos levam mais tempo para atingir a maturidade e, embora eles possam ser capazes de se acasalar com 8 meses de idade, alguns estão prontos apenas acima de 1 ano antes de ser pai de uma ninhada. Isso pode estar relacionado à época do ano em que eles nascem. Em condições naturais, algumas estações são menos viáveis para criar os jovens. Entretanto, o macho não possui ciclo do cio e, uma vez iniciado o acasalamento, ele é sexualmente ativo sempre que tiver uma oportunidade.

Se você possui um macho de *pedigree* e deseja mantê-lo como reprodutor, construa um quartinho fora de casa, pois o odor pungente de sua secreção

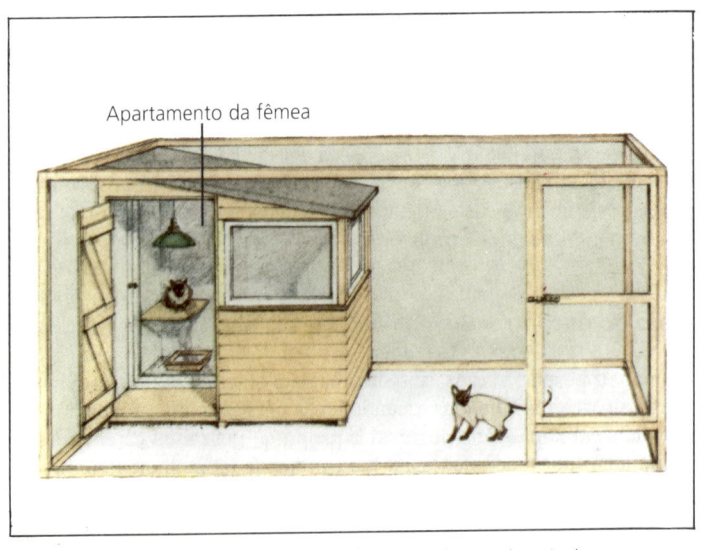

Um quartinho para acasalamento bem planejado

torna impossível manter um gato não-castrado no interior da casa. É necessário um quartinho quente para dormir, com acomodação separada para a gata, assim eles podem ter algum tempo para se conhecer antes do acasalamento real, e um espaço telado de tamanho suficiente para que se exercite. Se você mora no interior, pode deixá-lo ao ar livre todos os dias, em exercício, por várias horas. Um macho novo não deve ser usado como reprodutor até que atinja 1 ano de idade, e o primeiro acasalamento, se for possível, deve ser com uma gata que já possua experiência. Nos primeiros meses, ele deve ser cruzado só uma ou duas vezes. Alguns gatos maduros cobrem uma gata por dia, mas, para dar tempo para que ambos se conheçam e para que haja vários acasalamentos, a maioria dos criadores só recomenda dois ou três acasalamentos por semana, e com uma estação de descanso de dois a quatro meses para repouso do macho. Se você não encontrar o fornecedor regular de reprodutoras e achar que o macho sexualmente desprovido se tornará neurótico, não crie um gato reprodutor, a menos que você esteja preparado para organizar todo o serviço de uma maneira profissional.

Brincadeiras de sexo podem ocorrer em gatinhos em pré-puberdade. Mesmo as fêmeas seguem o comportamento de um macho adulto, incluindo a mordida no pescoço, a monta e outras atividades semelhantes. Nos adultos, o comportamento homossexual não é raro. É mais comum entre os machos, mas as fêmeas de uma mesma casa podem às vezes montar uma gata frustrada no cio.

Uma fêmea não-castrada, com possibilidades para sair de casa quando está no cio, geralmente não tem dificuldade em atrair um parceiro. Todos os machos da redondeza provavelmente disputarão a atenção dela. Eles lutam para ganhar o direito de cortejá-la, mas o vitorioso não a conquista necessariamente. Às vezes, as gatas possuem idéias bastante claras sobre quem escolher para seu parceiro. Não é necessariamente o maior e o mais forte; ela pode mesmo acasalar-se com o gato mais fraco enquanto repudia os campeões. A fêmea pode esforçar-se bastante para conseguir e, se ela for virgem, pode exigir consideráveis esforços e paciência da parte do macho. De fato, ela pode voltar-se contra ele e muitas gatas atacam o macho quando o acasalamento está terminado. Em condições naturais, uma gata pode ser acasalada por um macho após outro e, se ela rejeita um destes, pode encontrar um outro atrás dela, antes mesmo que ela possa resistir. Em acasalamentos preparados, as gatas podem às vezes rejeitar inteiramente um determinado macho.

Arranjo do encontro

Uma vez permitido o passeio de uma gata no cio, você tem pouco controle sobre os parceiros dela mas, quando levar sua gata para a cobertura de *pedigree*, você será capaz de selecionar aquele que possui as características e o temperamento que você necessita para produzir os melhores filhotes possíveis. Mesmo que você não tenha nenhum interesse em concursos, deve desejar filhotes sadios e felizes, sem defeitos; enfim, procurará uma linhagem forte. Ao mesmo tempo, tente compensar algumas falhas, próprias de sua gata, escolhendo um reprodutor que tenha particularmente boas qualidades nas partes nas quais ela é deficiente. Parentes muito próximos também são acasalados para duplicar as boas qualidades. Isso, mais do que qualquer outro método, faz com que se fixe mais rapidamente a característica desejada mas pode também fixar as qualidades indesejáveis. Esse acasalamento íntimo é conhecido por endogamia (*in-breeding*). Cruzamento consangüíneo (*line-breeding*) emprega gatos procedentes do mesmo ancestral para melhorar as qualidades semelhantes e é comum seu emprego quando se deseja conservar uma qualidade particularmente fina. Cruzamento não-consangüíneo (*out-breeding*) é o oposto do *in-breeding* e é a maneira de se introduzirem novos traços numa linhagem. Assim como em qualquer criação animal cuidadosamente desenvolvida, a seleção dos reprodutores para o acasalamento é um serviço bastante científico e, se você pretende levar o cruzamento a sério, deve procurar um auxílio profissional. Consulte o criador de quem originariamente você adquiriu seu gato, compareça à exposição local de gatos e procure informar-se por meio dos clubes locais sobre os criadores de sua região que possuam os machos à disposição. Na Grã-Bretanha, o Governing Council of the Cat Fancy publica uma lista de proprietários que oferecem machos com *pedigree* para o acasalamento. Os proprietários norte-americanos devem procurar pelas publicações em *Cats Magazine*.

Quando sua gata entrar no cio, você precisará agir rapidamente, por isso faça os contatos com bastante antecedência. O proprietário de um reprodutor macho geralmente cobrará uma taxa que inclui a pensão e a comida, e o serviço gratuito é comum no caso em que a gata não vier a conceber, mas não é obrigatório proceder-se dessa maneira. Às vezes, o proprietário espera fazer uma escolha dos gatinhos a partir de uma ninhada e isso pode ser influenciado pela taxa da cobertura. Eles certamente insistirão em que sua gata esteja com ótima saúde e em dia com todas as vacinações. Isso é para proteger tanto o macho reprodutor como seu próprio animal.

Uma gata, geralmente, está mais receptiva no terceiro dia do cio, e muitos criadores acreditam que esta é também a época de maior sucesso para a concepção. Entre em contato com o proprietário do macho reprodutor assim que sua gata apresentar o cio. Se o macho que lhe interessa já estiver com uma gata, você poderá usar um macho diferente. Muitos criadores preferem que a gata passe um período curto na casa de acasalamento para que os gatos se conheçam. Serão realizados pelo menos dois acasalamentos, e provavelmente mais ainda antes que você retire a gata.

Se a corte será breve ou demorada, isso dependerá dos gatos. Às vezes, uma fêmea de bom temperamento, quando cruzada com um macho delicado, não apresenta nenhuma forma de rejeição inicial, que é costumeira, e age como se fossem um casal em lua-de-mel tão logo eles se conheçam. Mais freqüentemente, é o macho que costuma rodear a fêmea, cheirando seu quarto traseiro e conversando com ela, que o adverte com patadas, rosnadas e unhadas, caso ele se aproxime. Quando não recusa o macho, ela rola no chão, põe-se na posição de dar o bote, levanta e o chama de volta. Finalmente, ela estará preparada para aceitar o macho e só então o gato tentará a cópula – a menos que ele seja muito inexperiente.

A gata se abaixa excitadamente, com a cabeça para baixo e os quartos posteriores levantados enquanto o macho pega com seus dentes a pele solta do dorso ou do pescoço dela, e monta sobre ela por trás, primeiro com seus membros anteriores e, em seguida, com os membros posteriores. Ambos os gatos movimentam-se para cima e para baixo com seus membros posteriores, e o macho começa a investir para a frente com a pélvis. Ele volta seus membros posteriores para o solo e a gata se movimenta para equilibrar o ato do macho e facilitar a entrada do pênis. Não é um processo fácil e a fêmea pode ficar tão irritada e frustrada que se separará do macho, e, às vezes, o processo tem que ser repetido várias vezes.

Quando a introdução finalmente acontece, a ejaculação é rápida e tudo termina em segundos. O pênis do gato, diferente do de outros animais, é coberto de escamas curtas que se desenvolvem a partir da idade aproximada de 3 meses e meio, caso não tenha sido previamente castrado. Na retirada, essas escamas aparentemente machucam a gata, pois, normalmente, ela solta um grito e freqüentemente volta-se contra o macho. Ela então deita-se sobre o dorso. Acredita-se que este movimento participe, em parte, no processo de fertilização.

Pague as taxas de cobertura no momento em que você retirar sua gata e certifique-se de que o proprietário do reprodutor lhe forneceu uma cópia do *pedigree* do reprodutor, antes de voltar, se ainda não tiver recebido previamente. Às vezes, nos Estados Unidos, os acasalamentos sem o fornecimento de registros são realizados a um preço mais baixo. Fique certo de que todos os acordos sejam elaborados antes de levar a gata a uma casa de acasalamento.

A gata prenhe

Mantenha sua gata longe de outros machos até ficar certo de que o cio já passou – caso o acasalamento não tenha sucesso, você poderá acidentalmente defrontar-se com uma ninhada de mestiços sem raça ou, uma vez que as gatas concebem de diferentes pais numa mesma ninhada, podem-se acrescentar outros filhotes aos já concebidos. Sua gata não exigirá nenhuma atenção especial mas desestimule-a a ser muito ativa por alguns dias. Não haverá nenhum sinal de que ela esteja grávida por aproximadamente três semanas, então você notará que seus mamilos parecem mais avermelhados que o normal e, em dez dias ou mais, começam a inchar-se. Criadores experientes podem sentir os filhotes no útero mas não toque seu ventre para não perturbá-la. Vá ao veterinário para confirmar se ela está realmente prenhe.

Quando a gata prenhe começar a pedir mais alimento, forneça-lhe, e, para assegurar as vitaminas e os minerais extras de que ela necessita, dê-lhe um suplemento: provavelmente o veterinário recomendará em forma de pó que possa ser misturado com a comida. É particularmente importante que ela receba cálcio e vitamina D mas alguns criadores são cuidadosos em controlar a quantidade de alimento e de cálcio, para impedir a formação de filhotes muito grandes, que poderiam dificultar o parto.

O período de gestação de uma gata é de 63 a 65 dias, normalmente. Às vezes, a gata pode atrasar o nascimento se o proprietário estiver ausente de casa, e a Siamesa, em particular, pode ultrapassar a data prevista. Naturalmente, existem alguns casos em que o parto é prematuro. É sempre aconselhável levar sua gata para um *check-up*, com uma semana ou mais de antecedência ao nascimento previsto dos gatinhos, e fique certo de que tudo está correndo bem e, particularmente, quando for a primeira gestação da gata.

À medida que se aproxima o momento do parto, a futura mãe mostrará os sinais de fazer o ninho. Prepare uma caixa grande para ela, forrando-a com jornais, e coloque-a num canto quente e escuro, longe das atividades domésticas. Ponha ocasionalmente a gata na caixa e, caso ela a rejeite, verifique onde ela gosta mais e então coloque a caixa aí, caso não seja inoportuno. Se você não providenciar algum lugar para o parto, ela poderá escolher algum canto impróprio dentro de um armário onde você não consiga alcançá-la para oferecer auxílio, ou então simplesmente pode usar sua cama.

Nascimento

A maioria das gatas pode parir sem qualquer assistência humana, mas algumas delas preferem uma companhia. Normalmente, quando está próxima a época, você pode perceber pelo aumento do afeto demonstrado, pelos traços de leite nos mamilos, possivelmente uma leve descarga da vagina e, provavelmente, ela alternará atitudes de agressão e submissão. Coloque um cobertor junto com os papéis para que ela os amontoe na caixa do parto e uma toalha para mantê-la limpa. Se você estiver presente no momento do nascimento, verifique se o parto de cada gatinho é seguido pela expulsão da placenta. Uma placenta retida dentro da gata pode, mais tarde, levar a uma infecção séria. A mãe romperá a bolsa que contém o gatinho, e o limpará; irá morder o cordão umbilical e ingerirá a placenta. Se os filhotes nascerem rápido demais, a ponto de a mãe não poder cuidar de todos eles ou se por algum outro motivo ela demonstrar ser incapaz de cuidar deles, você necessitará ajudá-la. Então, esteja preparado com uma toalha, uma garrafa de água quente embrulhada e lenços de papel, não se esquecendo de uma limpeza cuidadosa em suas mãos e unhas. Você pode romper o envoltório placentário com os dedos e limpar o gatinho com a toalha, tomando o cuidado para que a boca dele não esteja bloqueada pelo muco. Um esfregaço vigoroso normalmente é suficiente para iniciar a respiração do gatinho. Se não o for, aplique respiração artificial. Para cortar o cordão umbilical, prenda-o próximo ao corpo do gatinho com o polegar e o dedo indicador de uma mão, e com cuidado, para que não o arranque, aproximadamente a 7,5 centímetros ao longo do cordão, prenda-o com a outra mão, pressionando a unha do polegar contra o dedo indicador, esfregando-o para a frente e para trás até separar. Se a placenta não sair completamente, puxe-a com o dedo indicador e o polegar. Se o parto posterior parecer demorar muito, não entre em pânico (pode durar de 3 minutos a meia hora): segure firme a parte saliente do gatinho com um pedaço de toalha limpa e ajude, puxando, enquanto a mãe se esforça para expulsar o gatinho. Uma garrafa de água quente ajudará a manter aquecidos os gatinhos recém-nascidos. Mas não deixe esfriar a garrafa.

Um *check-up* pré-natal com o veterinário pode indicar a provável necessidade de uma cesariana, mas particularmente nos casos de primeira gestação, avise o veterinário para quando o parto é esperado, assim ele estará preparado caso ocorra uma emergência. O veterinário está capacitado a lhe dizer quantos gatinhos são esperados. As ninhadas normais são de quatro a seis, mas filhotes únicos não são raros e ninhadas acima de doze também têm sido observadas. Se tiver uma ninhada muito grande, a mãe pode não ser capaz de criar todos com sucesso e você deve pedir conselho ao veterinário sobre quantos devem ser permitidos a ela para criar. Como alternativa, é possível simplesmente suplementar os esforços dela, alimentando-os à mão em rodízio, para livrá-la da demanda do leite e prestando assistência para mantê-los limpos.

Uma vez nascida a ninhada inteira, sua gata precisará de um bom descanso. Certifique-se de que o alimento, a água fresca e a bandeja sanitária estejam ao alcance dela, assim ela não precisará deixar os gatinhos por muito tempo para poder satisfazer suas necessidades.

O gatinho recém-nascido

Quando os gatinhos nascem, seus olhos estão fechados e não abrem até que tenham a idade aproximada de 9 dias. Eles usam o olfato e, em menor grau, o tato para procurar as mamas da mãe, e são capazes de mamar, caso ela permita, minutos após o nascimento. Freqüentemente, eles têm uma preferência para uma determinada mama, e isso ajuda a eliminar os empurrões na hora da mamada. Embora a maioria da ninhada cresça rapidamente nas primeiras semanas, ela precisa ser observada em relação a qualquer indicação de não-aumento do peso dos gatinhos, e a mãe também deve ser analisada para ver se ela não está secretando leite em excesso. Algumas vezes, uma ninhada de gatinhos aparentemente saudáveis pára repentinamente de mamar, enfraquece rapidamente e em seguida morre. Esta ocorrência é conhecida pelos veterinários como "síndrome do gatinho enfraquecido", mas eles não entendem por que acontece isso. As tentativas para salvar os gatinhos raramente têm apresentado sucesso. A gata-mãe continua produzindo leite, que provoca pressão dolorosa nas glândulas mamárias, e sérios problemas podem desenvolver-se, caso não lhe seja dada uma atenção correta. Portanto, consulte o veterinário.

Freqüentemente, é mais fácil descobrir o sexo do gatinho enquanto for novo do que depois de o pêlo ter crescido. As genitálias do macho são mais afastadas do ânus que na fêmea, mas existem outras pequenas diferenças perceptíveis. Se você tiver uma ninhada mista, não deve ser muito difícil verificar o sexo dos filhotes.

Com apenas 5 dias de idade, os gatinhos já são capazes de encontrar o caminho de volta para o ninho quando a distância é curta, mas não usam sua visão como principal meio de orientação até atingirem aproximadamente 3 semanas de idade, tendo seus olhos ficado abertos por quase 2 semanas, para se

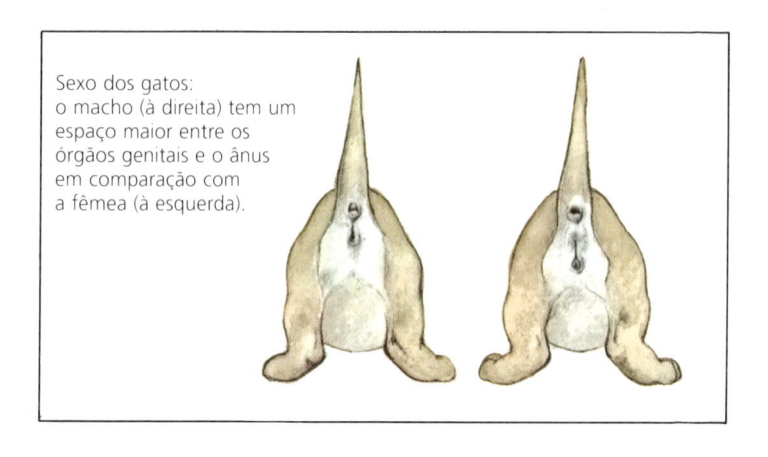

Sexo dos gatos: o macho (à direita) tem um espaço maior entre os órgãos genitais e o ânus em comparação com a fêmea (à esquerda).

afastar mais longe do ninho. É mais ou menos nesta época que eles começam a demonstrar interesse pela comida da mãe e podem talvez imitá-la e tentar lamber um pouco do alimento dela. Poucos dias após ter notado esse fato, experimente oferecer leite em pó bem forte e, se eles aceitarem, misture um pouco de cereal cozido destinado para bebê. Mas procure não exagerar. Uma colher das de chá por dia é suficiente no início e você pode aumentar gradualmente após ter sido experimentado por um período de uma semana. Os gatinhos ainda estão obtendo o sustento de sua mãe, e isso é apenas o começo do processo do desmame. Continue administrando para a mãe o suplemento de vitamina e de cálcio, durante todo o período de lactação, pois ajuda a produzir o leite de que os gatinhos tanto necessitam.

Gradualmente, os gatinhos aceitarão mais alimentos e dependerão menos da mãe. A partir de 3 semanas, eles estarão mamando mais por sua escolha que pela instigação da mãe, e esta começará a dar menos atenção a eles. Se eles não mostrarem nenhum sinal de aceitação da comida, experimente pingar uma gota de leite na ponta do dedo limpo e coloque um pouco no nariz para apressar a aceitação.

A partir da quarta semana, os gatinhos começam a ganhar seu primeiro conjunto de dentes e com 4 semanas e meia você pode começar oferecendo um pouco de carne crua picada ou moída e um pouco de ovo levemente mexido. Com 6 semanas de idade, eles devem ter cinco ou seis pequenos lanches por dia, dois ou três deles com carne, mamando na mãe só na hora de dormir. Caso eles peçam persistentemente a mama, você deve mantê-los afastados da mãe ou o desmame pode ser adiado indefinidamente. Mantenha a oportunidade para dar alguma atenção à gata e um pouco de respeito aos pedidos dos gatinhos.

Os gatinhos possuem estômagos pequenos, portanto é essencial que sejam pouco alimentados mas com freqüência. À medida que eles crescem, suas refeições aumentam e podem tornar-se menos freqüentes, mas não lhes dê mais de um prato capaz de ser consumido numa só refeição ou você pode estimulá-los a comer demais. Com 8 semanas, pode-se diminuir para quatro refeições diárias e, logo depois, para três, mas eles ainda não estarão preparados para agüentar apenas uma refeição até atingir pelo menos a idade de seis meses. Mesmo assim, muitas pessoas preferem oferecer duas refeições – café da manhã e refeição da noite. Ofereça sempre água fresca para beber, por toda a vida do gato. Os gatinhos, e muitos gatos adultos, especialmente os orientais, não apreciam o leite de vaca pois acham-no difícil de digerir, mas, mesmo ingerindo leite, eles ainda precisam de bastante água.

Os gatinhos órfãos

Algumas vezes, pode-se encontrar uma gata que abandona ou mesmo ataca seus filhotes. Ela pode também rejeitar o mais fraco da ninhada por causa de defeitos, que tornarão improvável sua sobrevivência, ou simplesmente ela não possui leite suficiente para amamentar todos os gatinhos. Um acidente trágico durante o parto ou uma doença pode tirar a mãe dos gatinhos novos, ou torná-la muito fraca para poder criá-los. Em todos esses casos, os gatinhos devem ser adotados ou devem ser criados a mão, caso tenham chances de sobrevivência.

O mais fácil e provavelmente o método que apresenta maior sucesso é o de encontrar uma outra fêmea que tenha justamente perdido o gatinho ou uma que apresente excesso de leite e que possa suportar um gatinho adicional além de sua própria ninhada. Muitos truques têm sido testados para encorajar a mãe adotiva a aceitar um órfão como sendo dela. Se uma égua ou uma ovelha perde

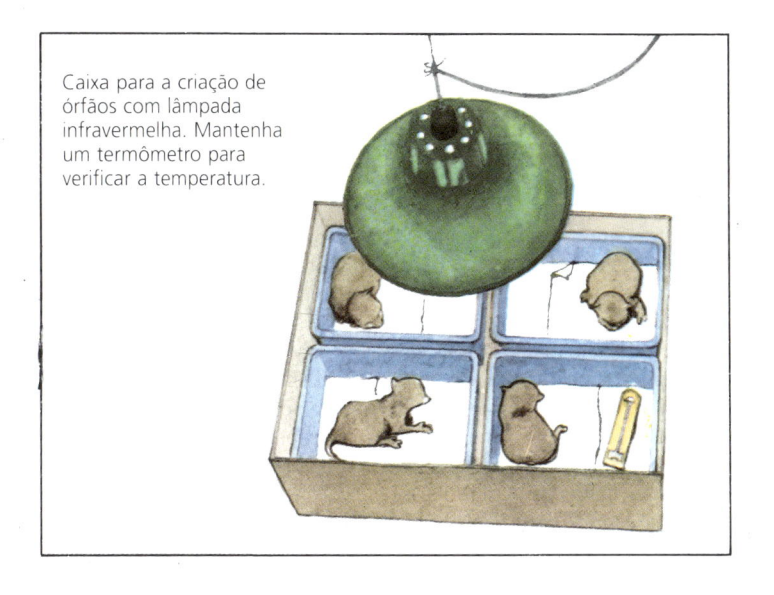

Caixa para a criação de órfãos com lâmpada infravermelha. Mantenha um termômetro para verificar a temperatura.

o potro ou o cordeiro, a pele do animal morto, colocada sobre o órfão, tem sido um sucesso como truque. Isso é praticamente impossível de se realizar com os gatos mas, se você esfregar o gatinho com um pouco de leite retirado cuidadosamente da mãe adotiva, este pode também conferir um odor que o faz parecer como sendo dela. A urina também pode ser utilizada e é um método que pode ser adotado para que um animal mais idoso aceite um membro mais jovem na casa. Se à mãe adotiva não for permitido amamentar por algumas horas antes de o órfão ser levado a ela, isso também pode ajudar. A pressão do leite nas glândulas mamárias causa algum desconforto e, com o alívio dessa pressão, a mãe será menos crítica com o gatinho adotivo. Uma vez amamentado o órfão, parece pouco provável que a mãe adotiva o rejeite.

Se não tiver nenhuma gata à disposição, você pode persuadir uma cadela ou um outro animal em lactação para que aceite um órfão; mas, se falhar, você deverá decidir por sacrificar os gatinhos, caso contrário você mesmo será a mãe adotiva. Portanto, não é um serviço para se aceitar levianamente. Você deve assumir todos os deveres da mãe, não só de mantê-los alimentados mas também de mantê-los aquecidos e limpos.

A primeira exigência é um ambiente quente e livre de corrente de ar. A maioria das perdas entre os órfãos é devida ao frio. Existem muitos pontos de vista a respeito da temperatura ideal, mas, de maneira geral, no primeiro dia eles precisam ser mantidos aproximadamente a 32°C. Nos quatro ou cinco dias seguintes, a 29°C e, na segunda semana, abaixar para 21°C. A melhor maneira de mantê-los aquecidos é usar uma incubadora.

Uma forma mais fácil ainda é uma lâmpada de 40 watts suspensa acima de uma caixa de madeira. Mantenha a lâmpada distante pelo menos 15 centímetros dos gatinhos; à medida que eles crescerem, reduza a temperatura, aumentando a altura da lâmpada. A luz pode perturbar os gatinhos, e a lâmpada debaixo da caixa pode proporcionar bastante calor sem causar este problema, embora seja mais difícil controlar a temperatura. Esteja certo de que há boa ventilação para não correr o risco de um incêndio. Uma solução mais cara, mas muito eficiente, é a de utilizar uma lâmpada infravermelha que não os perturbe e que possa ser usada muito mais distante da caixa, não atrapalhando você quando estiver cuidando deles.

Numa emergência, uma bolsa de água quente pode salvar a vida de um gatinho. Envolva-a numa toalha para difundir o calor e certifique-se de que não esfriou, senão você esfriará os gatinhos em vez de aquecê-los. Caso você não tenha uma bolsa, uma garrafa plástica também serve. Mais simples ainda, se tiver meios, é aquecer a sala onde se encontram os gatinhos, embora sua família possa queixar-se do ambiente exageradamente quente.

Em seguida ao calor, os gatinhos precisam de descanso. Eles não devem ser incomodados desnecessariamente e, para impedir que se perturbem uns aos outros, será mais útil alojá-los separadamente em caixas de plástico (naturalmente sem a tampa) pois, embora normalmente eles se amontoem para se aquecer, quando um deles acorda é provável que perturbe o descanso dos demais e não dormirão o suficiente. Um relógio de tique-taque barulhento (o ideal é um despertador *com o alarme desligado*) colocado próximo a eles trará

Alimentando um órfão.

mais segurança, por lembrar os batimentos cardíacos da mãe. Várias camadas de lenços de papel farão uma cama confortável e podem ser facilmente trocadas diariamente.

O leite de vaca comum não é o ideal para alimentar os gatinhos. O leite da gata tem teor protéico muito mais alto, e mesmo os alimentos feitos para bebês e cachorrinhos não são realmente adequados. O leite evaporado (*não o leite condensado*) é a solução mais simples, mas todos os criadores de gatos possuem suas próprias fórmulas. Uma fórmula que apresenta sucesso pode ser preparada a partir de: 2 colheres das de sopa de leite em pó; 2 colheres das de sopa de água fervida; 1/4 de colher das de chá de xarope de milho ou glucose; e 1/4 de colher das de chá de caldo de carne concentrado (feito em casa, não aqueles em tabletes).

Se tiver sorte, em loja de artigos para animais de estimação poderá obter um produto já pronto de uso especialmente formulado para os gatinhos, ou então o veterinário será capaz de colocá-lo em contato com a fonte e você terá que recorrer às alternativas só numa situação de emergência. Se você vai começar a criação dos gatinhos a partir do nascimento, sem serem amamentados pela mãe, peça auxílio ao veterinário, porque estarão sob um risco muito maior – as primeiras mamadas oferecidas pela mãe são ricas em anticorpos que os imunizam das doenças comuns aos gatos.

De fato, existem muito mais teorias sobre a alimentação dos gatinhos que a dos bebês. Uma colher e meia das de chá de alimento a cada 4 horas deve ser quase suficiente para o começo, mas, se a fórmula não for suficientemente rica, eles podem precisar de mais. Gradualmente, aumente a quantidade à medida que eles crescem. Seja paciente, já que alguns gatinhos tentam ingerir tudo em poucos minutos (e, uma vez alcançado este estágio, provavelmente eles esparramarão o alimento, não comendo o suficiente) e outros tomarão a vez deles. Diariamente, pese cada gatinho e mantenha um registro. Se não houver um aumento regular do peso, existe algo de errado. Se o gatinho chorar por mais comida, deixe-o comer mais.

Se a loja de artigos para animais de estimação possuir mamadeira destinada a gatinhos, esta pode ser a melhor maneira de oferecer-lhes o leite. Uma mamadeira usada para bonecas que apresente um bico que realmente funcione pode ser um bom substituto. Você pode preferir um conta-gotas do tipo usado para os colírios – ou em épocas passadas utilizados para encher as canetas-tinteiro. Tenha cuidado para não apertar o bulbo de borracha e forçar a entrada do leite na boca do gatinho; deixe-o sugar. Se você forçar a entrada de muito leite, o gatinho engasgará ou poderá causar o desenvolvimento de uma pneumonia – que se manifesta em muitos gatinhos artificialmente criados quando ainda estão com apenas poucos dias de idade. Como uma medida realmente temporária, um lenço limpo torcido, mergulhado no leite, pode ser oferecido ao gatinho para sugar – mas ele não deve ser impregnado com resíduo de sabão em pó ou de goma.

Não tente amamentar o gatinho na caixa. Sente-se com uma toalha grossa estendida no colo para o manter limpo e dar ao gatinho alguma coisa para se agarrar. Segure o gatinho contra a palma da mão apertando-lhe delicadamente a cabeça entre o polegar e o indicador, e ofereça a mamadeira ou o conta-gotas com a outra mão. O leite deve estar próximo dos 38°C. Se o gatinho não estiver interessado, experimente pingar uma gota de leite em seu nariz para estimulá-lo a beber ou, muito delicadamente, aperte um pouco de leite com o bico fora da boca e empurre-o suavemente para o interior da boca do gato. Se ele beber demais e se engasgar, então levante rapidamente a parte posterior para o ar, para soltar o leite que penetrou na via errada.

Você deve assoprar o gatinho, assim como você faz com um bebê, mas, em vez de dar tapinhas nas costas, você deve alisar seu estômago para expelir o ar. Alisá-lo da cabeça à cauda com o canto de uma toalha grossa pode simular a ação áspera da língua da mãe, e uma massagem delicada debaixo da cauda, com um pano umedecido em água morna, estimula a evacuação. Suas fezes não devem ser nem muito soltas nem muito firmes. No caso de diarréia, reduza o xarope ou outros líquidos na fórmula. Você deve também lavar os olhos dos filhotes todo o dia com um cotonete molhado em solução salina de ácido bórico diluído ou óleo mineral. No caso de desmame dos órfãos, ofereça alimentos líquidos e sólidos, da mesma maneira como os outros gatinhos criados pela mãe.

A mamãe-gata, normalmente, treina seus filhotes para não sujarem o ninho e ensina como utilizar a bandeja sanitária logo que se tornem fisicamente capazes de alcançá-la. Se você mesmo criá-los, terá que colocá-los na bandeja e estimulá-los a urinar ou a defecar, massageando-os. Na prática, isso causa poucos problemas, ao contrário do que você imagina. Evidentemente que os gatinhos, às vezes, estarão muito longe da bandeja para poder alcançá-la em tempo hábil para fazer suas necessidades, ou a excitação de uma brincadeira pode fazê-los esquecer. Um pouco de tolerância é necessário neste caso.

Inicie todo o treinamento o mais cedo que puder. Desestimule-os a brincar com fio elétrico, estimule-os a utilizar o poste para arranhar e, talvez o mais importante, acostume-os a ficarem com as pessoas e a serem acariciados e mimados por elas. Entretanto, não deixe que as crianças brinquem com gatinhos muito novos, pois podem acontecer acidentes.

Se apenas um gato apresentar um ataque de diarréia, não há nenhuma necessidade de entrar em pânico. Provavelmente, ele comeu algo que não devia. Mantenha-o sem comida por 12 horas e provavelmente ele melhorará – se você tiver, dê-lhe um tablete de carvão ativado. Caso a ninhada inteira apresente diarréia, você deve ter alterado a fórmula da comida ou servido uma comida muito fria. Talvez o prato utilizado não tenha sido lavado adequadamente, ou a comida tenha sido deixada por muito tempo; tente descobrir a causa e experimente deixá-los em jejum. Se a diarréia persistir, leve uma amostra das fezes ao veterinário.

O veterinário pode também querer uma amostra de fezes se você suspeitar que os gatinhos apresentam vermes. Alguns criadores automaticamente vermifugam todos os gatinhos para livrá-los dos vermes. Siga o conselho do veterinário sobre o tipo de vermífugo a empregar, pois o tratamento tem que estar intimamente associado à idade e ao grau de desenvolvimento do gatinho.

Separação da mãe

Por volta de 8 a 9 semanas de idade os gatinhos ter-se-ão tornado muito independentes e a mãe provavelmente ficará um pouco cansada deles e de suas brincadeiras, especialmente na hora do repouso. No entanto, não separe dela todos os gatinhos de uma só vez. Algumas mães separam-se da família sem qualquer aborrecimento, mas outras podem em pânico ir à procura dos gatinhos perdidos até aceitar o fato de que já não estão mais ali. Talvez seja mais fácil para a gata ver os gatinhos com os novos donos, assim ela terá certeza de que eles estão em boas mãos, ou talvez seja realmente melhor que a gata não os veja serem levados. Depende do caráter da gata e só a experiência pode-lhe dizer o que fazer num caso individual.

Após a criação cuidadosa da ninhada, talvez você queira certificar-se de que os gatinhos estão indo para bons lares, onde serão bem tratados. Se os novos proprietários em potencial realmente desejam ter um gatinho, eles não se importarão se você fizer muitas perguntas para saber se eles não estão aceitando a responsabilidade de maneira leviana. Se você tiver alguma dúvida sobre eles, volte atrás. Algumas pessoas não desejam ganhar dinheiro com seus gatinhos, muito embora insistam em ser pagos justamente para testar se as novas pessoas são sérias. Passe-lhes todas as informações que você possa dar, contando como você os tem criado juntamente com qualquer registro de *pedigree*, certificados de vacinação e o nome do veterinário. Certifique-se de que eles estão alertados da necessidade de futuras vacinações e do que eles precisam para tornar o novo lar confortável ao filhote.

CONCURSOS E EXPOSIÇÕES

Exposições de gatos são realizadas em todo o mundo, cuidadosamente e obedecendo aos padrões estritos impostos por clubes do gato e sociedades que as organizam, mas seus regulamentos de modo algum são idênticos. As raças reconhecidas, as categorias e os métodos de julgamento variam de acordo com os regulamentos adotados. Na Grã-Bretanha, existe um órgão único, o Governing Council of the Cat Fancy (GCCF), ao qual todas as organizações menores procuram filiar-se. Suas decisões são aceitas por toda a Grã-Bretanha e seguidas por muitos clubes da Commonwealth. No Canadá e nos Estados Unidos, não existe uma organização única, mas um sem-número delas, cada qual publicando seus próprios conjuntos de padrões raciais.

Diferentes geografias ditam uma forma diferente de concursos em diferentes localidades. Na Grã-Bretanha, onde poucos expositores viajam distâncias muito longas para participar, os concursos duram apenas um dia, mas, nos Estados Unidos, geralmente duram dois dias, sendo realizados nos fins de semana. Na Europa, alguns concursos se estendem por mais de três dias, embora o julgamento possa terminar no primeiro dia.

Na Inglaterra, os gatos não podem ser expostos em dois concursos no prazo de catorze dias. Isso é para prevenir a disseminação de alguma possível infecção e, como os concursos são planejados com um intervalo de duas semanas, tem a finalidade de habilitar os gatos a participarem em maior número de concursos assim como desejam seus proprietários.

Categorias de concursos

Existe uma grande variedade de categorias de concursos em que são outorgados prêmios. As categorias mais importantes na Grã-Bretanha são as abertas para adultos e gatinhos (os quais, sob o regulamento do Governing Council of the Cat Fancy, incluem todos os gatos até a idade de 9 meses), e existem categorias mistas que incluem:

Senior: Para gatos de 2 anos de idade ou mais.
Junior: Para gatos com menos de 2 anos.
Breeders: Para gatinhos criados pelo expositor.
Notice: Para gatos e gatinhos que não tenham conquistado o primeiro prêmio sob as regras do GCCF.
Limit: Para gatos que tenham conquistado não mais que quatro primeiros prêmios.
Special limit: Para gatos que tenham conquistado não mais que dois primeiros prêmios.
Debutante: Para gatas e gatinhas que nunca tenham participado em concursos regulados pelo GCCF.
Maiden: Para gatas que não tenham conquistado nem o primeiro, nem o segundo, nem o terceiro prêmios sob os regulamentos do GCCF.
Novice exhibitors: Para gatos de proprietários que nunca tenham conquistado um prêmio em dinheiro, sob os regulamentos do GCCF, mesmo que o gato já seja um ganhador de um prêmio.
Radius: Para expositores que residem dentro de uma certa distância fixa do recinto da exposição.
Champions of champions: Só para campeões não-castrados.
Premier of premiers: Só para Premiers não-castrados.

Os gatos castrados possuem categorias próprias, separadas, e os clubes individuais podem incluir outras categorias especiais.

Na América do Norte, as diferentes categorias incluem as seguintes, para cada raça e cor:

Kittens: Para gatos entre 4 e 8 meses de idade.
Novices: Para gatos que nunca conquistaram o primeiro prêmio.
Open: Para gatos que conquistaram o primeiro prêmio.
Champion: Para gatos que se tornaram campeões e possuem o certificado exigido. Um campeão é aquele que possui quatro ou mais faixas vitoriosas (são seis pelos regulamentos da Cat Fanciers Association).
International champion: Para gatos campeões em mais de um país.
Grand champions: Para gatos que são grandes campeões, qualificação esta que varia de associação para associação.
International grand champions: Para gatos grandes campeões internacionais.

Na Europa, os gatinhos são considerados gatos entre 3 e 10 meses de idade. Existe uma categoria de Grande Campeão Internacional, como na América, Champion e Open, como na Grã-Bretanha, e também duas outras modalidades de competição na Europa:

Couples: Para dois gatos da mesma variedade.
Breeder: Para gatos criados pela mesma pessoa.

A maioria das categorias possui um concurso separado para os gatos castrados.

Você não precisa, necessariamente, possuir um gato de *pedigree* para competir numa exposição. Muitas delas possuem categorias para animais domésticos de estimação que são julgados somente pela beleza e pela disposição.

Julgamento

Todas as associações de gatos exigem que seus juízes sejam experientes com gatos e apresentem as necessárias qualificações. A maneira de avaliar varia de acordo com cada organização. Sob os regulamentos do GCCF britânico, existe a atribuição de número de pontos estritos para diferentes aspectos de cada característica, que são fixados pelos padrões raciais. A American Cat Fancier Association também usa o método de contagem de pontos, mas muitas outras associações utilizam uma avaliação global que é realizada pelo juiz. Existe uma outra diferença muito grande para este enfoque: nas exposições norte-americanas e na maioria das exposições européias, os gatos são levados aos juízes, enquanto nas exposições britânicas os juízes vão até eles e só os gatos selecionados para o "Melhor da Exposição" são levados para a plataforma. Por esta razão, o GCCF não permite a decoração das gaiolas, ou ostentar faixas ou rosetas, enquanto em outras exposições os proprietários decoram o recinto para mostrar os gatos com atributos melhores.

Na Grã-Bretanha, existem três categorias de exposição: em forma de campeonato, em que os Challenge Certificates (Certificados de Aptidão) são oferecidos a todos os gatos não-castrados que conquistarem as classes abertas para adultos, e são considerados aceitáveis pelos juízes oficializados (Premier Certificates são os equivalentes para os castrados); Sanction Shows, que são semelhantes mas não outorgam os Certificados de Aptidão; e os Exemption Shows, que possuem regulamentos menos rigorosos e são destinados para os principiantes. Se um gato recebe os Certificados de Aptidão em três exposições diferentes, e conferidos por três diferentes julgamentos, os proprietários podem candidatar-se ao GCCF para seu reconhecimento como campeão. Algumas exposições selecionam o "Melhor da Exposição", o "Melhor Adulto", os melhores entre os gatinhos e os castrados, sendo escolhidos segundo certas categorias, como pêlos compridos, pêlos curtos, siameses e de outras raças. Em outras, são escolhidos o melhor da raça para cada variedade.

Na América do Norte, o gato que ganha em uma categoria qualifica-se para concorrer e ser julgado na sessão seguinte, até que eventualmente seja escolhido o melhor, juntamente com o segundo melhor e o melhor do sexo oposto. Será escolhido também o melhor de cada variedade e os melhores castrados. As categorias dos gatinhos não são julgadas com as demais categorias. A Cat Fanciers Association, em vez de selecionar o melhor do sexo oposto, escolhe a Melhor Gata, da primeira à quinta melhor gata.

Na Europa, procede-se de maneira semelhante à da Inglaterra. Para o ganhador da categoria Open é conferido o Certificat d'Aptitude au Championnat (Certificado de Aptidão ao Campeonato). Três conquistas dessas qualificam o animal para ser campeão e entrar para a classe de campeões, cujo ganhador recebe o Certificat d'Aptitude de Beauté. Três conquistas nesse nível qualificam para competir para o Certificat d'Aptitude au Grand Championnat International e, finalmente, três conquistas dessas levarão o gato para o mais alto prêmio europeu e com direito ao título de Grand Championnat International.

Participação num concurso

Você encontrará um calendário de exposições anunciado nas publicações *Fur and Feather* (*Pêlo e Plumagem*), na Inglaterra, e *Cats Magazine* (*Revista dos Gatos*), nos Estados Unidos e Canadá. Escreva uma carta aos organizadores solicitando os formulários de inscrição, as listas de categorias e os regulamentos do concurso. Seu gato já deve estar registrado pela autoridade competente, caso você pretenda inscrevê-lo para concorrer numa das categorias de *pedigree*. Deve-se pagar uma taxa de inscrição para cada categoria a que o gato concorrer e esta taxa pode ser enviada pelo correio ao organizador, juntamente com o formulário completo.

Se tudo estiver em ordem, então você receberá a documentação necessária, incluindo um cartão de exame médico e uma chapinha numerada para colocar em volta do pescoço do gato. Verifique se o número corresponde ao que está no cartão de exame médico. Certifique-se de que você possa chegar e sair na hora correta. Se os compromissos da viagem forem difíceis, peça permissão para chegar mais tarde ou sair mais cedo, conforme a necessidade. Em alguns concursos, é até possível deixar o gato no recinto da exposição uma noite antes.

Na chegada da exposição, cada concorrente é examinado por um veterinário. Qualquer indicação de doença pode significar a recusa da entrada e sua taxa de inscrição não será devolvida, já que nenhum risco de infecção pode ser permitido quando existem tantos gatos aglomerados em um único lugar. O cartão de exame médico é conferido para apressar a vistoria. Uma vez aprovado no exame, você deve instalar seu gato na jaula correspondente ao número de inscrição da chapinha, que deve ser colocada em uma fita ou tira branca e amarrada no pescoço do gato. Em concursos em que os juízes visitam as jaulas, você deve deixar seu gato sobre um cobertor branco e com uma pequena bandeja sanitária com turfa em pó (normalmente encontrada na sala de exposição do GCCF) e pratos de comida e água, que serão fornecidos no horário autorizado para a alimentação. Alguns proprietários amarram um plástico transparente na frente da gaiola para impedir que algum visitante toque o gato, colocando os dedos entre as barras. Quando o julgamento está em andamento, os donos, normalmente, são solicitados a deixar o local e a acompanhar da galeria.

Preparativos do gato para o concurso

Nem todos os gatos possuem temperamento para ser confinados por muitas horas em uma gaiola de exposição, logo em seguida a uma viagem, em que centenas de pessoas os admiram e estranhos vão manejá-los numa inspeção. Um gato molestado não se sentirá bem e apresentará mal aspecto, chegando mesmo a mostrar sintomas semelhantes aos de doenças e pode ser reprovado no exame médico. É então importante que seu gato seja habituado às viagens e aos recintos de exposição, portanto acostume-o em uma gaiola quadrada com aproximadamente 70 centímetros de lado, durante poucos minutos por dia, e então gradualmente vá aumentando para períodos maiores até ele aceitar o confinamento por um dia inteiro sem mostrar aborrecimento.

Você precisa apresentar o gato em sua melhor aparência, o que talvez requeira um pouco mais de cuidados que os habituais. Um pouco antes do concurso, a aplicação de um xampu seco (comercial, ou feito de giz em pó, para gatos de pelagem clara, ou farelo queimado no forno, para gatos de pelagem escura) melhora o aspecto da pelagem. Com os dedos, esfregue o pó ou o farelo nos pêlos, especialmente nas partes mais gordurosas, e escove-os com uma escova macia. O pó deve ser aplicado cerca de três dias antes da exposição, e o farelo, cinco dias, pois assim sua remoção poderá ser completa. No dia do julgamento não pode haver sobra na pelagem.

Você precisa de um cesto para transportar o gato e pode querer levar um cobertor limpo, prato de água, tigela de comida, escova e pente, e a bandeja sanitária, juntamente com um pano e desinfetante, se você desejar limpar a gaiola antes de colocar seu gato nela. As gaiolas são desinfetadas pelos organizadores, mas em concursos é válido tomar qualquer precaução contra o risco de infecção. Para gatos de pêlo curto, um pedaço de veludo pode ser útil para polir a pelagem, após uma limpeza de última hora nos olhos e atrás das orelhas, e no pêlo uma escovada final antes do julgamento. Certifique-se de que você tem tudo de que vai necessitar, especialmente a chapinha de inscrição e o cartão de inspeção médica, antes de deixar sua casa.

Limpe os olhos, as orelhas, a boca e as patas do gato com um anti-séptico suave, logo após o término do concurso, e, quando voltar para casa, ofereça-lhe sua refeição favorita como recompensa por ter passado um dia extenuante. Se for possível, mantenha-o distante de outros gatos seus, justamente para o caso de ele ter contraído alguma doença, e mude sua roupa e lave suas mãos antes de tocar nos outros.

RAÇAS E GENEALOGIAS

Existe uma enorme variedade de gatos com combinação quase infindável de conformação, coloração, morfologia e comprimento da pelagem, mas só um número limitado deles é reconhecido pelos especialistas como raças distintas. São variações que seguem um tipo regular de forma e coloração, e têm mostrado em sucessivas gerações que produzem filhotes com as mesmas características raciais. Existem também outras raças reconhecidas nas quais isso não é possível. As gatas atartarugadas e os mestiços de azul-creme não produzem machos férteis e devem ser acasalados com indivíduos de outro padrão; no entanto, eles realmente produzem conseqüentemente as fêmeas atartarugadas ou azul-creme entre os filhotes, quando acasalados de modo conveniente.

Criações experimentais são realizadas a todo momento para desenvolver novos tipos de gatos e para manter os já existentes. Se o novo padrão persistir por quatro gerações e se não houver características retrógradas, perpetuando deformidade, má saúde ou qualquer outra debilidade, pode então ser aceito como uma raça e competir em concursos regulamentados por várias organizações de registro. Naturalmente, existem as raças que certas associações reconhecem e outras, não, e podem existir argumentos consideráveis se se deve ou não dar reconhecimento a uma nova raça.

Variações novas na cor ou novos tipos de gatos que ainda não possuem o reconhecimento também podem participar de concursos. Na Inglaterra, eles se inscrevem na categoria Outras Variedades (Any Other Variety) e, na América do Norte, eles aparecem na categoria Raças Provisórias de Não-Campeões (Non-Championship Provisional Breeds). Raças experimentais, tais como o Azul Exótico (Foreign Blue) com coloração própria do tipo Foreign ou Russo Branco (White Russian), que ainda não estão reconhecidas por não terem a descrição de um tipo padrão, participam nos concursos nas categorias citadas e não foram incluídas neste livro, e algumas das raças citadas também têm que ser incluídas nessas categorias e não são elegíveis para o *status* de campeão. Uma raça reconhecida na Europa não significa que será necessariamente aceita pelo GCCF britânico nem que a raça britânica seja sempre reconhecida pelas organizações norte-americanas, que por sua vez diferem tanto nas raças que reconhecem como nos detalhes dos padrões estabelecidos.

Nos últimos anos, grandes esforços de pesquisa têm sido realizados na genética da formação de gatos e atualmente a criação é conduzida em bases científicas. O estudo da genética é complexo e o criador interessado em desenvolver uma nova raça deve consultar a literatura a respeito. No entanto, as características de um gato geralmente dependem dos genes dominantes que herdaram de seus pais. A fêmea possui dezenove pares de cromossomos idênticos; o macho, dezoito pares homólogos e dois outros que não possuem homologia. Este fato é responsável pela união de determinadas características, tal como a cor vermelha da pelagem. Certas características são dominantes quando o gatinho herda genes conflitantes dos pais: o padrão tabby é dominante sobre o não-tabby; branco é dominante sobre todas as cores; preto é dominante sobre o azul e sobre o chocolate; pêlo curto é dominante sobre o pêlo longo; e coloração geral (da pelagem) é dominante sobre a coloração delimitada do Siamês ou do Himalaio. Embora uma característica possa ser dominante sobre a outra, ou ser recessiva, a característica ainda estará presente na constituição genética do gatinho e influenciará sua progênie. Existem algumas anomalias aparentes: o acasalamento, por exemplo, entre o Blue Point e o Siamês de Chocolate Point não produz gatinhos de nenhum dos dois tipos, mas uma ninhada toda Seal (marrom). O Seal, que é realmente o equivalente ao preto (Black) do Siamês, é transportado por ambos os pais para o Azul, e os chocolates são também mo-

Um formulário de *pedigree*.

dificações do preto. Entretanto, a geração seguinte desses gatinhos Seal pode produzir pontos marrons, azuis, chocolates e lilases.

Para prever os resultados de um cruzamento, será necessário conhecer a genealogia do gato. Cada gato tem um *pedigree*, mas nem todas as pessoas controlam os acasalamentos de gatos mestiços e poucos tentam manter o registro do *pedigree*. Embora o *pedigree* não seja sinônimo de uma raça reconhecida, na prática as raças estabelecidas de gatos com *pedigree* conhecido é que são anotadas e registradas. Se você tem seus gatinhos castrados, o *pedigree* pode ser apenas um interesse acadêmico. Se você permitir o acasalamento de seu gato, sua ajuda é de importância vital para garantir filhotes bons e sadios, valendo-se não apenas da aparência do gato mas também dos registros que você possui, para descobrir o máximo possível sobre seus antepassados. Dessa maneira, a perpetuação de doenças e falhas hereditárias pode ser evitada, melhorando as qualidades globais dos gatos.

DESCRIÇÃO DE ALGUMAS RAÇAS E PADRÕES DE PELAGEM

GATOS SEM PÊLOS (PELADOS)

Todos os gatos descritos no passado como desprovidos de pêlo (*hairless*) tinham, efetivamente, pelo menos, uma tênue cobertura. Ocasionalmente, um gatinho da ninhada normal teve o infortúnio de nascer pelado e sua aparência incomum atraiu a atenção dos criadores experimentais. Na França, por exemplo, um casal de siameses dotado de um gene recessivo para essa característica transmitiu-a regularmente a toda a descendência. Tal mutação foi também estabelecida no Canadá por criadores da raça Sphynx. Nenhuma raça de gatos desprovidos de pêlos tem sido reconhecida pelo GCCF e, a despeito de a raça Sphynx ter sido reconhecida pela Canadian Cat Association, Crown Cat Fanciers Association e Cat Fanciers Association, esta última cancelou tal reconhecimento em 1971.

GATO PELADO MEXICANO

Esta raça é considerada extinta. Acredita-se que tenha sido uma raça asteca e que o último casal foi doado por índios mexicanos no início deste século ao senhor Shinick, do Novo México. Este casal nunca procriou, pois o macho morreu ainda jovem em conseqüência do ataque de um cão. Os espécimes desta raça tinham corpo e cauda longos, e a cabeça em forma de cunha com grandes orelhas e olhos de cor âmbar. Tinham um longo bigode e no inverno lhes crescia um pêlo ralo ao longo do dorso e da cauda, desaparecendo tão logo o verão se aproximasse.

SPHYNX

O Sphynx, algumas vezes também chamado de Gato Pelado Canadense, é muito parecido ao Gato Pelado Mexicano exceto pela ausência de bigode e de pêlos ocasionais surgidos na estação fria. Esta raça originou-se de um macho pelado nascido de uma fêmea doméstica de cor branca e preta, em Ontário, em 1966. Possui corpo longo, ossatura fina e bem musculosa e cauda longa. A cabeça não é redonda nem cuneiforme; alarga-se até os olhos e daí para cima apresenta-se com a forma de um bloco retangular. Seus olhos dourados estão localizados para trás e ligeiramente inclinados. As orelhas estão implantadas na base maior e superior da cabeça, são grandes e ligeiramente arredondadas nas pontas. A pele possui rugas, até mesmo na cabeça. Os gatinhos apresentam-se cobertos por uma pelagem muito fina que, no adulto, só pode ser observada nas extremidades. Pêlos curtos e finos – que, à vista, devem ser "parecidos" com um veludo e, ao tato, com o "musgo" – cobrem a face, e são maiores atrás das orelhas e mais duros ao redor do nariz e da boca. As patas estão cobertas de pêlos, mas estes, na parte posterior, são finos e curtos como os da face. Os últimos centímetros da cauda podem ser cobertos de pêlos finos e dobrados ("cauda de leão"). Os testículos dos machos são cobertos por uma espessa camada de pêlos, maiores que em qualquer parte do corpo. Gatos da raça Sphynx podem apresentar qualquer colorido mas, no caso de uma só cor, esta apresenta-se uniformemente distribuída pelo dorso e partes externas, tornando-se mais clara no ventre e parte interna das patas.

    O nariz curto e a implantação dos olhos, particularmente quando observados em conjunto com as patas arqueadas que aparecem em gatinhos, dão-lhe a aparência frontal semelhante à do Boston Terrier.

    Nas exposições, gatos da raça Sphynx chamam bastante atenção, mas discussões acaloradas são freqüentes entre seus defensores e os antipatizantes dessa raça.

SPHYNX

GATOS DE PÊLO CURTO

Parece que até o final do século XVI apenas o gato de pêlo curto era conhecido na Europa. Supõe-se que o padrão básico de pelagem mais comum era o tabby, mais parecido ao gato selvagem europeu, uma vez que a imagem tabby se mantinha viva na memória de todos os criadores de origem européia. Contudo, gatos cinzentos figuram na pintura holandesa do século XVI, e Edward Topsell, baseando, presumivelmente, suas observações em gatos ingleses, escreveu, no início do século XVII, que "existem gatos de diversas cores, porém a maioria é de cor cinza, como a água congelada". John Aubrey, o colecionador de antiguidades inglesas do século XVII, descreveu como o arcebispo Laud "foi presenteado com alguns gatos de Chipre, isto é, os gatos tabby, que eram vendidos, em princípio, a 5 libras cada. Isso ocorreu por volta de 1637 ou 1638". Aparentemente, esses gatos eram de introdução recente e, de acordo com Aubrey, "o gato inglês comum era branco com alguns matizes de azul". Os primeiros gatos americanos foram trazidos através do Atlântico pelos imigrantes europeus e eram também gatos de pêlo curto como o eram seus ancestrais.

A Grã-Bretanha foi a primeira nação que tomou a sério a criação de gatos e, desde a primeira exposição, realizada na Inglaterra, o tipo europeu de gatos é conhecido, geralmente, como tipo Britânico de pêlo curto (British Short-hair), reservando-se a designação de gato Exótico de pêlo curto (Foreign Short-hair) para os gatos cuja conformação do corpo se assemelha à dos gatos orientais.

O gato Britânico de pêlo curto é um espécime vigoroso, de corpo rechonchudo apoiado em patas curtas e bem proporcionais, porte médio e peito bem desenvolvido. A cauda bastante curta e ampla na base vai afinando ligeiramente até a ponta. As patas anteriores e posteriores são do mesmo comprimento, com pés arredondados e bem delimitados. A cabeça tem quase a forma de uma maçã com a parte superior do crânio arredondada, de bochechas salientes e nariz curto e amplo. As orelhas são pequenas e ligeiramente arredondadas, e os grandes olhos, redondos e bastante expressivos. A pelagem deve ser curta e fina sem aspereza e lanosidade.

Defeitos a serem considerados incluem orelhas demasiadamente grandes e pontiagudas, nariz excessivamente longo, olhos implantados profundamente ou muito pequenos, face estreita, pernas arqueadas ou uma pelagem rarefeita.

Durante séculos, desde seu aparecimento no Novo Mundo, o gato doméstico norte-americano desenvolveu características ligeiramente diferentes das inerentes ao Britânico, daí ser reconhecido como Americano de pêlo curto ou Doméstico de pêlo curto. Esta raça apresenta suas próprias variedades de cor e padrão (ver página 108).

O tipo Exótico de pêlo curto (Exotic Short-hair) (*ver as páginas 146-7*) é um tipo Americano mais recente, que foi também reconhecido pela American Fancy, constituindo um laço de união entre as classes de pêlo longo e pêlo curto. Não faz parte dos Exóticos (Foreign cats), que apresentam padrões semelhantes por todo o mundo.

GATOS TABBY

O nome tabby, aplicado para designar o padrão familiar de muitos de nossos gatos listados ou manchados, deriva-se, provavelmente, de sua semelhança a uma espécie de seda que era fabricada em Attibiya, um distrito de Bagdá, e que era conhecida por este nome. A antiga denominação inglesa de "gato de Chipre", ainda usada em algumas partes da Ânglia Oriental (região da Inglaterra que abrange Mércia e Nortúmbria), também sugere alguma ligação através do Mediterrâneo oriental na rota de comércio que deve ter trazido a seda para o oeste.

FORMA-PADRÃO DO TABBY

Os gatos tabby, também chamados de gatos tigrados, sugerem uma reminiscência da forma listada regular vista comumente no passado, que é conhecida pelos criadores como tabby mackerel. Nos Estados Unidos, classes especiais são mantidas para esse tipo. Os padrões tabby para os gatos de linhagem pura estão criteriosamente definidos e, por certo, não se aplicam a todos os chamados gatos domésticos de estimação, chamados carinhosamente de tabbies. Para tais padrões, qualquer que seja a variedade do gato, as marcas devem apresentar sempre um forte contraste e não incluir manchas.

No padrão tabby três listas negras devem correr paralelamente ao longo do dorso, um desenho de borboleta pode ser visto em sentido transversal, ao nível dos ombros, uma concha com forma de ostra aparece nos flancos e, no peito, encontram-se duas linhas estreitas e contínuas, conhecidas como "cadeias maioral". As patas e a cauda são geralmente aneladas e a face apresenta três linhas delicadas que convergem para a base do nariz, enquanto as bochechas são cruzadas por duas ou três espirais bem distintas. Um tabby bem marcado apresenta um par de "óculos" claramente delineados em torno dos olhos e por sobre a cabeça a marca **M**, que, segundo a lenda, recorda o profeta Maomé.

O tipo tabby mackerel deve possuir marcas bem distintas em forma de estreitos anéis compactos que circundam o corpo, as patas e a cauda. As estrias apresentam-se, às vezes, interrompidas mas não devem transformar-se em manchas, preferindo-se os anéis bem delimitados que se originam na espinha dorsal. Ainda que esta seja a forma original do padrão tabby, exemplares raiados com linhas estreitas e bem delimitadas, e harmonicamente espaçadas, são relativamente raros e têm-se tornado cada vez menos freqüentes nas exposições britânicas. O padrão clássico do tabby manchado é uma mutação do tabby listado desen-

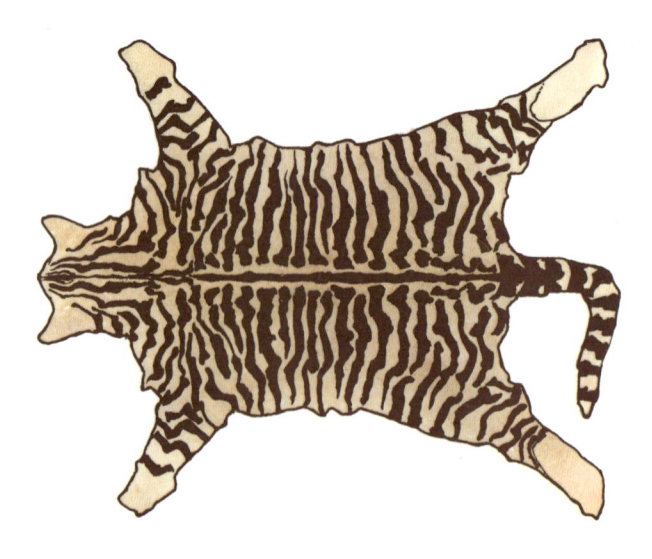

FORMA DO TABBY MACKEREL

volvido na Europa onde foi muito comum em meados do século XVII. Não existe nenhum ancestral desse tipo entre os gatos selvagens mas, ao que tudo indica, ele adaptou-se facilmente a todos os tipos de ambientes e alcançou a Índia por volta da metade do século XIX. A despeito de o tabby listado predominar na Índia, o manchado não parece ainda bem estabelecido no Oriente. Não há indicação de que criadores e proprietários prefiram tabbies manchados; deste modo, é difícil entender-se a razão da persistência dessa mutação.

É rara a ocorrência na natureza de outras variantes além das formas-padrão manchadas e listadas, embora o gato Abissínio de capa espessa seja, geneticamente, uma forma tabby. Contudo, uma cuidadosa seleção de tabbies com marcas variantes tem induzido ao desenvolvimento do Mau egípcio e do gato malhado. Tais marcas persistem em muitas outras raças criadas artificialmente e são vistas na primeira pelagem de suas crias. Algumas delas têm sido mantidas em raças como o Lynx ou o Siamês Tabby Point.

TABBY MARROM DE PÊLO CURTO

A despeito de ser um dos padrões mais antigos, este é relativamente raro como raça pura. Isso talvez se deva ao fato de ser o tipo marrom de gato tabby encontrado em abundância entre os gatos sem *pedigree*, não despertando, portanto, a atenção dos criadores aficionados que buscam algo pouco comum e, também, provavelmente pela dificuldade de obter-se exemplares de bom desempenho em relação ao tipo e à cor.

TABBY MARROM DE PÊLO CURTO

O cruzamento continuado desses animais, durante várias gerações, conduz a uma degeneração do tipo, de modo que o manejo da criação deve ser conduzido com particular cautela. Marcas distintas sem manchas são difíceis de obter-se e placas brancas no queixo e lábios podem ser persistentes. O tabby marrom deve enquadrar-se nos padrões gerais estabelecidos para os gatos de pêlo curto. As marcas que pertençam ao padrão malhado ou ao mackerel devem ser densas e negras, contrastando, claramente, com a cor de fundo, que deve ser areia ou marrom, uniforme, sem manchas brancas ou marcas em qualquer lugar. Os olhos são de cor laranja, avelã, amarelo-escuro ou verde.

TABBY VERMELHO DE PÊLO CURTO

Ainda que o tabby vermelho tenha sido freqüentemente descrito como um gato de pêlo ruivo ou amarelado, o padrão da raça não será nem o ruivo nem o areia, mas, sim, um vermelho-alaranjado-escuro com marcas vermelhas ainda mais escuras. Ainda que a cor não seja comum entre gatos sem raça definida, é difícil encontrar-se claramente definidas marcas que não se misturam com a cor de fundo, dando mais um efeito nublado de sombras que de barras distintas. Gatinhos de raça pura nascidos com marcas claramente definidas podem perdê-las durante o decorrer das primeiras semanas de vida, recuperando-as tão logo se tornem adultos.

No passado, acreditava-se que do cruzamento dessa variedade resultavam unicamente machos e que eles eram estéreis. Ambas as crenças são falsas. De fato, acasalando-se com uma fêmea preta, obtêm-se descendentes machos de cor preta e fêmeas atartarugadas, manchadas de preto, vermelho e creme ou branco, portadoras de genes vermelhos e que, quando acasalados com machos tabby vermelhos, podem produzir machos pretos ou vermelhos e fêmeas vermelhas ou de sua própria cor. O cruzamento de um macho preto com uma fêmea manchada oferece resultados esperados consoante os princípios da genética. O tabby vermelho deve ajustar-se ao padrão geral das raças de pêlo curto. As marcas da pelagem devem ser de um vermelho-escuro bastante acentuado e bem diferenciado da cor de fundo. Tanto a cor de fundo como a das marcas devem ser o mais acentuadas possível. Os olhos devem ser de cor de avelã ou alaranjados.

TABBY PRATEADO DE PÊLO CURTO

Como com todos os tabbies, seja mackerel ou jaspeado, as marcas devem ser distintas e bem contrastadas. A cor de fundo deve ser um prateado puro de tonalidade completamente uniforme e sem qualquer traço de branco no corpo ou na cauda. As marcas devem ser de uma tonalidade preta encorpada. Os olhos devem ser bem abertos, arredondados e de cor verde ou avelã. A pelagem dos gatinhos, claramente marcada por ocasião do nascimento, torna-se, freqüentemente, cinzenta à medida que os pêlos crescem, mas recupera seu padrão ideal quando os animais atingem a idade de 15 semanas.

TABBY VERMELHO DE PÊLO CURTO

TABBY PRATEADO DE PÊLO CURTO

Criadores franceses e alguns ingleses têm introduzido um exemplar negro de pêlo curto a cada quatro gerações, visando a manter a pureza do tipo e a cor acentuada das marcas.

Este gato, extremamente bonito, é também um dos mais afetuosos. É dócil e esquivo, mas um companheiro vigoroso que parece manter sua boa aparência com muito pouco trabalho.

GATO MALHADO

O gato malhado, muito comum no passado, foi o gato exibido nas primeiras exposições felinas, quando então era freqüentemente tratado como uma variedade do tabby. Contudo, ele não reapareceu nas exposições até 1960 e só em 1966 foi reconhecido na Inglaterra como uma variedade em separado com seu próprio padrão. Gatos malhados aparecem muito freqüentemente na Grécia e outras partes do Mediterrâneo, mas o tipo britânico dessa variedade é ainda relativamente raro. O padrão britânico estabelece 75 pontos para o desenho de sua pelagem, que deve ser bem distinto mas não tem que consistir exclusivamente em manchas circulares. Elas podem ter a forma arredondada, alongada ou em rosetas mas não devem dar a aparência de estrias quebradas. Estrias e barras são consideradas como defeito, exceto quando aparecem na cabeça, onde ocorrem marcas assemelhadas às do tabby.

Gatos malhados podem ser de qualquer cor, desde que haja um adequado contraste entre a cor de fundo e a das manchas, e que os olhos se ajustem aos critérios fixados pelo padrão estabelecido para os gatos britânicos de pêlo curto. Em todos os aspectos, esses gatos devem atender aos requerimentos do tipo em apreço. São tantos os parentes selvagens que têm a pelagem malhada que nos causa surpresa que este modelo não ocorra mais freqüentemente entre os gatos domésticos.

GATO DA ILHA DE MANX

O gato sem cauda da Ilha de Manx é conhecido há muitos séculos e sua origem e seu aparecimento na Ilha de Manx são objeto de numerosas lendas. Uma história bem antiga conta como comerciantes fenícios trouxeram-no de uma viagem ao Japão. Outra relata que uma gata cortou a cauda de seus filhotes para evitar que fossem abatidos por guerreiros da ilha que pretendiam usar suas caudas como adornos de seus capacetes. A explicação mais simplista dá conta de que o gato da Ilha de Manx chegou atrasado à Arca de Noé e, ao ser fechada a porta precipitadamente pelo anfitrião, foi-lhe decepada a cauda.

De fato, gatos sem cauda ocorrem em muitas partes do mundo. Charles Darwin já registra sua presença por toda a região malaia. Eles existem na China, na ex-União Soviética (especialmente na Criméia) e em muitos outros lugares. É muito provável que a história dos fenícios tenha mesmo um fundo de verdade e que eles tenham se espalhado por intermédio dos barcos empregados no comér-

GATO MALHADO DE PÊLO CURTO

GATO DA ILHA DE MANX

cio no mar Negro. O padrão de criação restrita, imposto pelas condições da ilha, determinou, provavelmente, o desenvolvimento de uma linhagem particular desse gato na Ilha de Manx. Na verdade, ele não se constitui numa raça que assegure sempre a transmissão dessa característica a seus descendentes. De fato, o cruzamento de gatos sem cauda produz, freqüentemente, ninhadas que incluem gatos com cauda normal e outros com cauda reduzida (coto). Da mesma forma, gatos normais podem ser portadores de genes mutantes para a ausência de cauda e produzir crias sem cauda em suas ninhadas.

Um exemplar dessa variedade é mais que um simples gato sem cauda. Na verdade, ele possui uma pelagem especial que é, ao mesmo tempo, macia e rarefeita como a de um coelho, com uma capa espessa de pêlos curtos cobrindo a pele. As características principais são semelhantes às do gato Britânico de pêlo curto, salvo pelo fato de apresentar uma cabeça maior, sem contudo alcançar o tipo Persa com seu nariz alongado mas com bochechas rechonchudas, que lhe dão um aspecto arredondado. As orelhas estão implantadas bem afastadas e são amplas na base, porém afiladas nas pontas. O dorso é relativamente curto e os membros posteriores muito altos com flancos profundos, condições que conferem ao Manx um bamboleio característico ao andar. As longas patas traseiras conferem-lhe uma forte elasticidade, contribuindo também para tornar-lhe um dos gatos mais velozes. A ausência de cauda deve ser total sem qualquer vestígio ou rudimento. É possível notar-se um oco ao final da última vértebra. A anca deve ser bem arredondada, como bem o diz o padrão Britânico: "tão redonda como uma laranja". Alguns Manx, apesar de completamente desprovidos de cauda, apresentam uma pequena mecha de pêlos no lugar dela. Esta condição é admissível quando não existe aí cartilagem ou osso.

O gato da Ilha de Manx pode apresentar qualquer tipo de cor ou desenho: bicolor, tabby, atartarugado ou cor própria, mas a cor dos olhos deve estar em consonância com a pelagem, como ocorre com os gatos britânicos de pêlo curto. Em concursos, a cor dos olhos e da pele, bem como o desenho só são levados em conta quando as demais características forem compatíveis.

A falta de cauda não parece afetar o senso de equilíbrio do gato da Ilha de Manx, mas tem-se observado que ele geralmente não consegue ser tão bom trepador como outros gatos e não tem sua atenção voltada para ninhos de pássaros. Em vez disso, eles são geralmente ótimos caçadores de ratos e freqüentemente tornam-se excelentes pescadores.

O gato da Ilha de Manx tem uma personalidade muito bem definida e pode tornar-se um animal de estimação muito agradável. Mas a mutação responsável pela ausência de cauda afeta-lhe toda a coluna vertebral. Ainda que a redução no comprimento e no número de vértebras concentre-se, geralmente, na parte posterior, podem faltar vértebras de outras regiões, provocando toda sorte de malformações. Quanto mais grave a malformação, maior será a taxa de mortalidade infantil, e o cruzamento entre esta variedade de gatos por várias gerações sucessivas pode produzir a morte dos gatinhos. Uma das anormalidades associadas às malformações do gato da Ilha de Manx é o mau funcionamento dos músculos do esfíncter anal. O espécime que apresenta um coto, qualquer que seja o comprimento, tem assegurada uma vida normal.

GATO CREME DE PÊLO CURTO

GATO CREME DE PÊLO CURTO

Padrão de difícil criação e relativamente raro. Espécimes com esta pelagem ocasionalmente ocorrem em condições naturais mas geralmente são listados ou barrados. Só a partir da Segunda Guerra Mundial é que o gato creme, muito admirado na atualidade, tem substituído o gato alaranjado, que representa seu elo de ligação com o tabby vermelho. Presumivelmente, esse padrão não passa de um desenvolvimento do tabby vermelho, uma vez que, geneticamente, o creme é um diluído do vermelho, a despeito de não existir nenhum gato Britânico vermelho que seja de pêlo curto – já que nesta cor as marcas Tabby têm um caráter dominante.

O gato creme segue o padrão estabelecido para o tipo Britânico de pêlo curto e a pelagem deve revestir-se de um creme nítido, livre das barras ou sinais brancos em todo o corpo. Os olhos devem ser cor de cobre ou laranja. Antes de 1967, os padrões britânicos admitiam olhos cor de avelã mas estes não são mais permitidos na atualidade.

GATO BRANCO DE OLHOS AZUIS E PÊLO CURTO

O gato branco de pêlo curto deve atender às exigências gerais do padrão britânico: cabeça ampla, bochechas bem formadas, orelhas pequenas e ligei-

GATO BRANCO DE OLHOS AZUIS E PÊLO CURTO

ramente arredondadas, nariz e face pequenos, corpo robusto, cauda grossa e bem implantada, e pés arredondados e bem delimitados. A pelagem densa e macia deve constituir-se de um branco puro sem qualquer traço de cor creme nem de pêlos coloridos. Os olhos devem ser de um profundo azul-safira.

Na Grã-Bretanha, o gato branco costumava ser considerado como portador de azar, ao passo que, nos Estados Unidos e em vários outros países, era considerado como sendo de bom preságio. Na atualidade, parece que os gatos brancos gozam de grande popularidade em todos os lugares, mas não são fáceis de ser encontrados. Eles não ocorrem freqüentemente em condições naturais de acasalamento, talvez em razão de sua cor despertar a atenção com muita facilidade, tornando-os, assim, mais vulneráveis; talvez porque os gatos brancos de olhos azuis são, quase que sem exceção, surdos, o que lhes seria desfavorável na seleção natural. Se um gatinho branco de olhos azuis possui uma tênue mecha de pêlos pretos – uma única mancha – na cabeça, entre as orelhas, isto é uma indicação de que geneticamente ele é portador de genes relacionados ao preto ou azul e que sua audição será normal. Em muitos casos, os pêlos escuros desaparecerão à medida que o animal crescer.

GATO BRANCO DE OLHOS ALARANJADOS E PÊLOS CURTOS

É impossível determinar-se, por ocasião do nascimento, a que variedade pertencem os gatos brancos, uma vez que todos eles têm olhos azuis ao nascer. É bem verdade que, quanto mais escuro for o azul, maior a possibilidade de que esta cor seja mantida. Se eles se tornarem alaranjados, não é necessário preocupar-se com o problema da surdez. Os gatos brancos de olhos alaranjados devem ser idênticos a seus ancestrais de olhos azuis, salvo pelo fato de que os olhos devem apresentar uma coloração ouro-alaranjado ou coral.

GATO BRANCO DE OLHOS DESIGUAIS E PÊLO CURTO

Uma terceira variedade de gatos brancos de pêlo curto apresenta um olho azul e outro alaranjado. No que tange às demais características, eles devem atender a todas as exigências estabelecidas pelo padrão britânico para gatos de pêlo curto, devendo apresentar uma pelagem exclusivamente branca sem qualquer mancha de amarelo.

Por vezes tem-se afirmado que eles apresentam surdez do lado correspondente ao olho azul mas isso não é, necessariamente, uma verdade. Gatos brancos de olhos desiguais podem aparecer em ninhadas decorrentes tanto do cruzamento entre gatos de olhos azuis como entre gatos de olhos alaranjados, e são usados na criação de ambas as variedades.

GATO PRETO DE PÊLO CURTO

Gatos pretos, em particular, têm sido associados à bruxaria e, inclusive, acreditava-se serem uma forma tomada por Satanás. Uma vez que na Idade Média os gatos de pêlo longo eram desconhecidos na Europa, foram os gatos pretos de pêlo curto que mais infundiram essa superstição. Ao contrário, muitas pessoas, particularmente os britânicos, têm hoje considerado o gato preto como símbolo de boa sorte e isso os têm tornado muito populares. Contudo, a despeito de existirem muitos gatos pretos, são relativamente poucos os que se ajustam aos padrões oficiais estabelecidos para essa categoria. Deve enquadrar-se no tipo Britânico de pêlo curto e seus olhos grandes e bem abertos devem ser alaranjados ou cor de cobre, mas a maioria que encontramos apresenta um corpo por demais escuro e olhos verdes. A pelagem deve ser de um verdadeiro preto-azeviche em todas as partes sem qualquer traço de pêlos brancos em sinais de matizes marrons conhecidos como "ferrugem". Muitos gatinhos portam estrias tabbies quando jovens e a maioria mostra um certo grau de "ferrugem" que pode não persistir até que eles se tornem completamente adultos. Qualquer gato preto que permaneça muito tempo exposto ao sol desenvolverá o matiz "ferrugem", sendo recomendável não apresentar em concursos, durante os meses de verão, gatos que gostem de banhar-se ao sol. O excesso de gor-

GATO PRETO DE PÊLO CURTO

dura pode também causar descoloração da pelagem e, para mantê-la em condições de exposição, será necessária uma atenção constante. Alisá-lo manualmente com um pedaço de pêlo de camelo proporcionará um brilho extra à pelagem.

GATO BRITÂNICO AZUL

Em terminologia felina, azul não significa uma cor azul-celeste, mas sim um cinzento-azulado. Esta nuança deriva do preto e, de acordo com as normas britânicas, pode variar do azul-claro ao azul-médio, mas a tonalidade deve ser sempre uniforme, sem as marcas tabbies, sombras ou pêlos brancos em qualquer parte. A cor deve ser muito mais clara que a cor da ardósia preta, tão favorita no passado e que tem estado atualmente fora das exposições de gatos.

O gato Britânico Azul deve ajustar-se aos padrões do tipo Britânico de pêlo curto, ainda que não seja mencionado em tais normas; a curta e delicada, pelagem é mais parecida à pelúcia que em outras variedades de gatos. A grande cabeça com bochechas bem desenvolvidas e o nariz curto torna-o mais ajustado ao padrão britânico que muitas outras variedades de gatos de pêlo curto. Os olhos devem ser grandes e cheios, com uma cor de cobre, alaranjado ou amarelo. Tem a reputação de ser dócil, tranqüilo e extremamente inteligente.

Na América, o catálogo da Cat Fanciers Association inclui um Exótico de pêlo curto, de cor azul, que de fato corresponde ao gato Britânico Azul.

BRITÂNICO AZUL

O acasalamento de um macho Britânico Azul com uma fêmea Creme pode produzir machos creme e fêmeas azul-creme; com uma fêmea azul-creme, a ninhada pode incluir machos azuis e creme, e fêmeas azuis e azul-creme. Uma fêmea Britânico Azul acasalada com um macho Creme pode dar origem a fêmeas azul-creme e machos azuis.

CHARTREUX

É uma raça francesa, ao que tudo indica originária da África do Sul, de onde foi trazida para a França por frades da Ordem dos Cartusianos. É quase idêntica ao tipo Britânico Azul, embora o padrão francês especifique que a pelagem pode ter qualquer matiz, do cinza ao cinza-azulado. Originalmente, era mais robusto que seu congênere inglês, mas sua aparência bem musculosa, de cabeça redonda, mandíbulas fortes e bochechas bem desenvolvidas, proporciona um desempenho que os juízes são unânimes em opinar que muito se assemelha ao moderno gato Britânico Azul. É igualmente dotado das mesmas qualidades de docilidade e inteligência, e goza da reputação de ser um bom caçador de ratos.

GATO MALTÊS (DE MALTA)

Os gatos azuis de pêlo curto exibidos nas primeiras exposições americanas eram freqüentemente apresentados com o nome de gatos de Malta, e tal designação tem sido também empregada em certas oportunidades para indicar uma coloração azul. Estes apresentavam uma pelagem azul-claro ou escuro, e alguns tinham manchas brancas no peito. Parece também que esse tipo sofreu considerável variação, de modo que alguns apresentam cabeça grande; outros, pequena; alguns têm o corpo alongado, outros não. O nome não é, na atualidade, utilizado para designar nenhuma raça conhecida, mas os gatos malteses tinham um importante papel no desenvolvimento do atual gato de pêlo curto.

GATO AZUL-CREME DE PÊLO CURTO

Esta variedade difícil de reproduzir é uma das mais raras na Grã-Bretanha e não era reconhecida pelo GCCF até 1950. É uma variedade constituída exclusivamente por fêmeas. A coloração creme, derivada do vermelho, está assegurada por um gene ligado ao sexo. Pode resultar do cruzamento de azul com creme e pode também aparecer nas ninhadas de pelagem atartarugada se ambos os pais forem portadores de azul.

A pelagem azul-creme deve ser curta e sedosa, com as cores homogeneamente misturadas sem formar manchas, consoante estabelece o padrão britânico. Uma mancha creme ou estrela na testa é considerada, por muitos criadores, como favorita, e dá ao gato uma aparência destacada quando comparado com outro de face homogênea. Os olhos devem ser cor de cobre, alaranjados ou amarelos, mas não podem ser verdes. Relativamente aos demais aspectos, o gato

AZUL-CREME DE PÊLO CURTO

Azul-Creme deve atender aos requisitos do padrão britânico para gatos de pêlo curto. Eles constituem-se quase que invariavelmente de gatos de uma personalidade agradável e de muito encanto.

Na América do Norte, as normas exigem que a pelagem dos gatos Azul-Creme de pêlo curto, tanto do tipo doméstico como exótico, tenham manchas claras, em vez da mistura homogênea de cores. Os criadores de ambos os lados do Atlântico estão trabalhando exatamente em sentidos opostos em relação a isso (*ver as páginas 108-10 e 146-7*).

GATO "FUMAÇA" DE PÊLO CURTO

Não existe nenhuma variedade de gato do tipo Britânico enfumaçado que seja reconhecida como padrão, mas, entre as raças americanas de pêlo curto, encontramos o enfumaçado preto e o azul (*ver as páginas 108-10*). Existe, mesmo no continente europeu, um padrão provisório para o gato Britânico Fumaça de pêlo curto.

GATO BICOLOR DE PÊLO CURTO

Gatos bicolores ou parcialmente coloridos, como são geralmente chamados nos Estados Unidos, são gatos que apresentam em sua pelagem duas cores distintas. O gato branco e preto, também conhecido como "pega", tem sido admirado durante muito tempo e, segundo as normas antigas, era exigido que as marcas fossem situadas em partes diferentes e bem definidas. Exigências posteriores, contudo, estabeleceram que a pelagem deveria ajustar-se ao modelo do coelho holandês, limitando a coloração às combinações: branco e preto; branco e azul; branco e alaranjado; e branco e creme. As orelhas e a face deveriam ser coloridas; do mesmo modo, o corpo, a partir da base do pescoço, da espinha dorsal, da cauda e da parte posterior dos membros posteriores, deixando brancos a parte anterior dos membros posteriores e respectivos pés, o pescoço, parte das patas dianteiras e correspondentes extremidades, o queixo e os lábios. Uma mancha branca ascende pelo centro da face, dividindo-a exatamente ao meio, e pode continuar até alcançar o branco da parte posterior do crânio.

Essas exigências eram tão difíceis de ser atendidas que, em 1971, o padrão britânico foi revisado, para permitir "qualquer cor encorpada e o branco; manchas claras e regularmente distribuídas. A pelagem do gato não deve apresentar mais de dois terços coloridos nem mais da metade branco. A face deve apresentar manchas coloridas, sendo desejável a mancha branca em sua parte central". O gato deve ajustar-se ao tipo britânico, mas o padrão elaborado requer que o corpo seja "forte e musculoso, dando-lhe uma aparência geral de grande atividade", e "alongado, com pernas curtas e retas". A cabeça deve ser "grande e arredondada, com orelhas pequenas bem separadas e implantadas adequadamente. Nariz curto, bochechas cheias, focinho amplo e queixo firme".

GATO BICOLOR DE PÊLO CURTO

Os olhos devem ser grandes, arredondados e bem separados, cor de cobre, amarelados ou alaranjados, não se admitindo nenhum traço de verde. Outros defeitos são as marcas tabby, malhas na pelagem e cauda demasiadamente longa, já que esta deve ser curta e espessa.

GATO ATARTARUGADO DE PÊLO CURTO

Este gato preto e vermelho é também conhecido na América do Norte como gato Calimanco e "tigre malhado". É um padrão de difícil criação; qualquer que seja a natureza da cruza realizada, não existe a menor garantia de que pelo menos um gatinho da ninhada seja parecido com a mãe. O nascimento de machos é raro e estes são quase que invariavelmente estéreis (a despeito de existirem registros de dois machos progenitores, no início deste século), razão por que o acasalamento de dois espécimes desta mesma raça é impossível. Assim, os cruzamentos devem ser feitos com machos pretos ou creme, evitando-se os tabbies, já que o caráter dominante de sua pelagem imprime características indesejáveis e difíceis de ser eliminadas nas gerações futuras. Um gato atartarugado com marcas bem definidas é um animal charmoso e, qualquer que seja a localização dessas marcas, elas lhe conferem uma aparência de grande caráter. Gatinhos, especialmente os que se tornarão bem marcados quando adultos, são geralmente muito escuros ao nascer, e as marcas coloridas vão-lhes surgindo à medida que os pêlos crescem. A pelagem deveria apresentar apenas três cores: preto, vermelho-claro e vermelho-escuro, e os critérios britânicos exigem que essas cores sejam igualmente equilibradas e cada uma delas tão destaca-

GATO ATARTARUGADO DE PÊLO CURTO

GATO ATARTARUGADO E BRANCO DE PÊLO CURTO

da quanto possível. Não devem apresentar nem manchas brancas, nem sinais de marcas tabbies ou malhas. As manchas de cor devem ser claras e bem delimitadas, e as pernas, os pés, a cauda e as orelhas devem apresentar manchas, do mesmo modo que o corpo e a cabeça. Uma mancha vermelha que desce da altura do frontal ao nariz é particularmente apreciada. Os olhos devem ser alaranjados, cor de cobre ou de avelã. Em relação às demais características, deve atender aos padrões estabelecidos para o tipo Britânico de pêlo curto.

GATO ATARTARUGADO E BRANCO DE PÊLO CURTO

Nesse padrão o aspecto tricolor do gato Atartarugado se destaca nitidamente sobre o fundo branco, mas, para alcançar as condições dos concursos, é necessário que o arranjo das cores esteja em consonância com as normas oficiais, sendo a predominância de pêlos brancos considerada um defeito. O padrão britânico exige: "preto e vermelho (claro e escuro) sobre o branco, igualmente equilibrados. As cores devem ser brilhantes e absolutamente livres de qualquer miscigenação ou marcas tabbies. O manchado tricolor deve cobrir a parte superior da cabeça, das orelhas e bochechas, do dorso, da cauda e de parte dos flancos. As manchas devem ser nítidas e bem delimitadas. A existência de uma faixa branca na frente é desejável".

Os olhos devem ser alaranjados, cor de cobre ou de avelã, e os demais aspectos estruturais da raça devem ajustar-se ao tipo Britânico de pêlo curto.

Esta variedade teve no passado uma ampla distribuição. Os comerciantes japoneses costumavam ter um exemplar desses gatos em seus navios porque, segundo acreditavam, lhes trazia boa sorte e lhes protegia dos maus espíritos do oceano, responsáveis pela tempestade e pelo naufrágio. Eram conhecidos na Europa e na América pelo nome de gatos espanhóis e, no século XVIII, o naturalista francês Georges Buffon atribuiu a beleza de sua coloração ao clima espanhol, supondo fosse essa sua origem.

GATO AMERICANO DE PÊLO CURTO

Durante muito tempo, o gato Americano doméstico, descendente dos gatos trazidos pelos imigrantes pioneiros, não foi reconhecido como uma raça definida e com categoria para participar de concursos; mas, atualmente, ele é reconhecido por várias associações felinas e tem conseguido numerosos prêmios em diferentes concursos. Descendente da mesma linhagem básica, como o *moggy* europeu comum, a genealogia do gato Americano de pêlo curto é muito semelhante à do gato Britânico de pêlo curto, mas existem diferenças distintas que inclinam muitos criadores a considerar que o tipo Exótico de pêlo curto (*ver as páginas 146-7*) está mais próximo do tipo Britânico de pêlo curto.

O gato Americano de pêlo curto é um animal bem formado, com um corpo de mediano para grande, postado sobre patas firmes, robustas e de comprimento médio. Os pés firmes e arredondados apóiam-se em grandes almofa-

AMERICANO DE PÊLO CURTO

das. A cauda de talhe médio deve ser muito pesada na base e, ainda que as vértebras se afinem de uma forma normal, ela termina de forma abrupta. Caudas demasiadamente curtas ou retorcidas são consideradas como fora do padrão nos concursos. O peito e os ombros são bem desenvolvidos, e o pescoço, de comprimento médio, deve apresentar uma espessura constante e uma ligeira curvatura arredondada, um pouco mais longa que espessa, de tal forma que assuma uma aparência alongada. O nariz é mais longo que o do tipo Britânico mas o focinho é mais quadrado e o queixo é firme e bem desenvolvido. As orelhas têm pontas ligeiramente arredondadas, são bem implantadas, afastadas, mas não são particularmente largas na base. Os olhos são arredondados, grandes e bem separados, com uma ligeira inclinação para fora. A pelagem deve ser grossa, curta e densa – mas não tão felpuda como a do gato Britânico; cresce muito mais durante os meses de inverno e não deve ser longa nem lanosa.

Em suma, conforme as normas estabelecem, deveria assemelhar-se a "um atleta bem treinado, com todos os músculos de textura magra e consistente, movendo-se facilmente debaixo da pele, e um grande poder de energia latente". Esses gatos gozam da reputação de serem excelentes saltadores e sua história tem assegurado que eles são muito resistentes, afetuosos e inteligentes; em suma, são excelentes companheiros.

Gatos Americanos de pêlo curto são, atualmente, reconhecidos nas seguintes variedades de cores, algumas das quais não existem no gato Britânico de pêlo curto: branca (olhos azuis, cor de cobre ou ímpares), preta, azul, vermelha, creme, chinchila (pêlos brancos, com pontas, delicadamente manchados de preto no dorso, costado, cabeça, orelhas e cauda), prata-sombreada (pêlos prateados com sombras nos lados, face e cauda, dando um efeito bem mais escuro que no chinchila), preto-fumaça (pêlo branco com pontas negras), azul-fumaça (pêlo branco com pontas azuis), atartarugado, calico (atartarugado e branco), azul-creme (as duas cores dispostas em manchas bem delimitadas e sem se misturar, como no tipo Britânico); tabby marrom, azul, vermelho, prata e creme (ambos listados ou manchados) e também os bicolores.

GATO AMERICANO DE PÊLO DURO

Em 1966, uma mutação ocasional produziu um gatinho de pelagem grosseira e dura, cujo cruzamento dirigido está desenvolvendo sua progênie numa nova raça que terá pelagem de comprimento médio, com pêlos rígidos na cabeça, dorso, costado, nuca e ao final da cauda, que porém torna-se menos grosseira no ventre e queixo. A Sociedade Americana do Gato Americano de Pêlo Duro propôs um padrão que descreve esta raça como sendo uma "mutação espontânea do gato Doméstico e que a única diferença existente entre ambos reside na pelagem".

GATO BOMBAY

Trata-se de uma variedade nova de gatos criados nos Estados Unidos a partir do cruzamento entre o gato Birmanês e o Americano de pêlo curto. É um gato de porte médio, bastante musculoso, com uma cabeça arredondada e orelhas de tamanho médio com pontas ligeiramente arredondadas. A curta pelagem deste gato é preta e lustrosa, com um brilho quase vítreo. Os olhos vão do amarelo ao cobre-escuro.

GATO ESCOCÊS DE ORELHAS CAÍDAS

Livros antigos de História Natural incluem, freqüentemente, registros de gatos com orelhas caídas. Tem sido comprovado que animais selvagens têm, quase que invariavelmente, as orelhas "em pé" e que apenas entre as espécies domesticadas há longo tempo surgem espécimes com orelhas caídas. Em 1796, a *Universal Magazine of Knowledge and Pleasure* assinalava que "gatos domésticos não têm as orelhas tão hirtas como seus congêneres selvagens, e que na China, um velho império onde o clima é bastante ameno, gatos domésticos podem ser vistos com orelhas pendentes (...)". A idéia de uma raça chinesa de orelhas caídas foi-se consolidando. Um século mais tarde, um comerciante retornou da China com um gato de orelhas caídas que, segundo assegurava, era pertencente a uma raça lá desenvolvida com fins de consumo. Contudo, os zoólogos não encontraram traços de nenhum outro até 1938, quando um segundo gato foi encontrado e suas características provaram tratar-se de uma

AMERICANO DE PÊLO DURO

ESCOCÊS DE ORELHAS CAÍDAS

mutação rara que se presumiu, então, estar restrita a gatos brancos de pêlos longos.

Tal mutação reapareceu na Escócia em 1961 e, mediante uma criação controlada, foi possível produzir-se uma variedade de gatos de pêlo curto com orelhas caídas para a frente e para baixo. Semelhantes mutações têm aparecido também na Alemanha e na Bélgica, e vários espécimes têm sido importados para os Estados Unidos. Nenhum padrão tem sido aceito até o presente e, embora um gatinho que não tinha as orelhas completamente caídas tenha ganhado um prêmio num concurso britânico, o GCCF não reconheceu a raça. Existe uma oposição considerável ao desenvolvimento desta variedade mas, em 1974, ela foi reconhecida para registro pela CFA.

GATOS EXÓTICOS DE PÊLO CURTO

A expressão "exótico" nada tem a ver com o país de origem desse grupo de gatos, ainda que alguns de seus ancestrais possam ter vindo de regiões distantes. Sob tal designação incluem-se tipos desenvolvidos na Grã-Bretanha, na América do Norte e na Europa, e existem gatos procedentes de outros territórios que não aparecem no grupo exótico.

Em geral, eles têm corpo muito esbelto, cauda longa e patas finas, dando-lhe um aspecto elegante e aparência sofisticada. A cabeça é cuneiforme com orelhas grandes e hirtas e olhos oblíquos. A despeito de diferenças individuais, esses gatos não gostam da vida solitária e exigem muita atenção dos humanos ou a companhia de outro gato. Eles tendem a alcançar precocemente a maturidade, e as fêmeas podem entrar no cio com apenas 6 meses de idade. Os machos, apesar de menos precoces, alcançam a maturidade sexual antes que os congêneres de outras raças.

Gatos do tipo exótico são fáceis de cuidar. Uma escova de pêlos curtos e duros seguida por um pedaço de pele de camelo dão a sua pelagem uma aparência suave, e o simples ato de acariciar a pelagem com as mãos garante-lhe um brilho intenso. Alguns gatos exóticos, especialmente o Siamês, o Birmanês e o Russo Azul, são particularmente suscetíveis à enterite felina, razão pela qual se recomenda a vacinação contra esta doença tão cedo quanto possível.

GATO ABISSÍNIO

Em 1868, uma expedição militar britânica retornou da Abissínia, e com ela, ao que tudo indica, veio uma tal senhora Barret-Lennard trazendo um gato chamado Zulu, o qual tem a reputação de ser o primeiro gato Abissínio a chegar à Grã-Bretanha. Um retrato deste animal publicado seis anos mais tarde mostra um gato que quase nada tinha de comum com a raça que conhecemos atual-

ABISSÍNIO (ABISSÍNIO CORADO)

mente. Por isso, esta versão de sua origem parece bastante duvidosa. Contudo, a raça já estava catalogada em 1882 e uma fotografia tirada em 1903 exibe um gato que retrata com perfeição o tipo moderno. O Abissínio assemelha-se muitíssimo ao gato representado na antiga arte egípcia e tem uma pelagem *agouti* do gato selvagem africano – que teve papel relevante na evolução do gato doméstico.

Alguns proprietários do gato Abissínio gostam de pensar que seus gatos descendem diretamente dos gatos dos faraós, mas não existem evidências que apóiem tal suposição. Contudo, gatos muito semelhantes ao tipo Abissínio surgem, vez por outra, em ninhadas de gatos tabbies, e o cruzamento orientado entre tais espécimens pode, eventualmente, produzir gatos do tipo Abissínio. Pode ser que o gato Abissínio descenda do antigo gato egípcio, mas é quase certo também que tal história não passe de imaginação dos criadores ingleses.

Dois gatos abissínios foram trazidos para a América em 1909, mas foi necessário esperar muitos anos para que essa raça se tornasse popular nos Estados Unidos. Numericamente, só é superada, na atualidade, pelos siameses e birmaneses, e existem mais gatos abissínios na América que na Grã-Bretanha.

O Abissínio tem um corpo esbelto e uma cauda longa e afilada. As patas são delgadas e os pés apresentam uma conformação oval e estão bem delimitados. Ainda que de constituição mais sólida que o Siamês e o Birmanês, pertence, sem sombra de dúvida, ao tipo exótico. Os padrões britânicos exigem que a cabeça seja triangular, de tamanho médio e "em forma de coração", ao passo que na América um focinho pontiagudo é o preferido. Os padrões da Cat Fanciers Association descrevem-na, ainda, como "uma cunha modificada sem superfícies planas, com fronte, bochechas e, enfim, todo o perfil mostrando um contorno suave". As grandes orelhas são afiladas na ponta e amplas na base. Os olhos são grandes e de cor verde, ouro ou avelã.

A característica mais importante desse gato é a pelagem. Cada pêlo apresenta duas ou três zonas de cor preta ou marrom-escura, sobre um fundo marrom-intenso, propiciando ao conjunto um matiz muito peculiar. A pelagem não deve apresentar barras ou marcas de nenhuma natureza, embora uma linha escura ao longo da espinha dorsal possa ser admitida nas exposições e nos concursos. O ventre e o espaço entre as patas dianteiras são de um matiz mais claro, que deve estar em harmonia com a cor principal; o marrom-alaranjado é preferido. A pele do nariz deve ser vermelho-tijolo, contornado em preto, do mesmo modo que a parte traseira dos membros posteriores. Manchas brancas no corpo não são admitidas, mas um queixo branco, ainda que não desejado, pode ser admitido. Muitos gatos apresentam uma área creme ou esbranquiçada ao redor do queixo e dos lábios junto a áreas mais claras em torno dos olhos, as quais estão estreitamente contornadas em preto e com marcas pretas ou marrons na fronte, imediatamente acima das áreas referidas. Essas peculiaridades dão-lhes uma aparência assemelhada ao puma, que pode ser muito atraente. Se a cauda é listada, a extremidade deve ser marrom-escura ou preta. Muitos gatinhos mostram marcas bastante acentuadas que, todavia, desaparecem quando eles crescem. O pêlo *agouti* geralmente não aparece até que os gatinhos alcancem os 2 meses de idade.

O Abissínio é um gato afetuoso e altamente inteligente, o que o torna muito procurado. Comparativamente a outras raças, eles produzem ninhadas pequenas, comumente de quatro gatinhos ou menos, de sorte que sua aquisição se torna difícil. Eles gostam muito de atenção e cuidado, mas também de liberdade para perambular, e podem tornar-se muito infelizes se mantidos em confinamento.

GATO ABISSÍNIO VERMELHO

Esta variedade tem sido reconhecida como raça distinta desde 1963. Deve atender aos mesmos padrões estabelecidos para o Abissínio, salvo no que concerne à coloração, que deve ser de um cobre-avermelhado intenso, sendo cada pêlo dupla ou triplamente gravado com uma cor mais escura. O ventre e o espaço entre as patas deve ser de um damasco intenso. A ponta da cauda é marrom-escura e esta cor pode estender-se em uma linha superior por toda a cauda e, inclusive, ao longo da coluna vertebral. A pele do nariz é cor-de-rosa, assim como o coxim plantar, cuja pelagem marrom deve estender-se até a parte posterior das patas. Os olhos amendoados devem ser verdes, amarelos ou cor de avelã.

Gatos abissínios de cor creme são também criados, mas estão ainda aguardando seu reconhecimento oficial.

ABISSÍNIO VERMELHO

RUSSO AZUL

GATO RUSSO AZUL

O nome Russo Azul costumava ser aplicado ao gato Arcângelo, cujos primeiros espécimes foram trazidos daquele porto russo por marinheiros e mercadores ingleses que lá comercializavam na época da rainha Elizabeth I; mas gatos azuis podem aparecer também como uma mutação natural e têm sido também conhecidos com o nome de gato Maltês. No princípio deste século, quando os ingleses chamavam a este tipo de Exótico Azul, um criador inglês obteve duas fêmeas provenientes efetivamente de Arcângelo. O primeiro desta raça a aparecer na América foi um exemplar exportado para Chicago na virada do século, mas a raça não se estabeleceu nos Estados Unidos até o final da Segunda Guerra Mundial. Por aquela época, criadores escandinavos e britânicos tinham começado a introduzir nesta raça sangue de Siamês e, em 1950, o Azul Exótico tinha um padrão que descrevia o gato tipo Siamês completamente azul. Hoje, tem-se retornado ao tipo original, e os padrões tanto britânico como americano exigem na atualidade um gato de corpo alongado e gracioso, com estrutura óssea mediana, com uma cauda longa e afilada, pernas longas, pés pequenos e ovais, cabeça pequena cuneiforme, com um crânio plano, fronte e nariz estreitos, os quais em conjunto assumem a forma angular. O nariz é mais curto que o do Siamês. Os olhos amendoados e bem separados devem ser de um verde vivo nos adultos. As orelhas são grandes e pontiagudas, amplas na base e implantadas verticalmente sobre a cabeça. Uma característica peculiar desta raça é representada pela espessura da pele da orelha, que deve ser fina, quase transparente e com poucos pêlos em seu interior. A base dos bigodes é proeminente.

A pelagem deve ser de cor azul-clara sem marcas, nem matizes e, ainda que algumas marcas tabbies possam ser evidentes nos gatinhos, elas devem desaparecer completamente quando eles se tornarem adultos. Na Grã-Bretanha, uma cor azul menos encorpada (meio-azul) é preferida, mas a uniformidade da cor é mais importante que as sombras. Deve ser possível distinguir um brilho prateado devido à dupla pelagem. O padrão britânico exige uma pelagem "suave e sedosa como pele de foca". Ela deve ser curta, espessa e muito fina, com o extremo de cada pêlo prateado para que eles possam emanar o efeito desejado. Esta tonalidade se acentua particularmente no inverno, ao passo que o sol forte do verão pode dar-lhe uma cor marrom pardacenta.

Os gatos Russo Azul gozam da reputação de serem simpáticos. São muitas vezes extremamente esquivos e geralmente têm uma voz tão suave que pode tornar-se difícil saber quando uma fêmea está no cio se não se conhece a gata muito bem. Contudo, eles se tornam tão ligados a seus donos que tais dúvidas não costumam ocorrer. Eles parecem adaptar-se facilmente à vida em apartamentos.

GATO BIRMANÊS MARROM

Esta raça, conhecida na França como Zibelines, foi a primeira a ser aceita para fins de registro na América, em 1936, mas não foi reconhecida na Europa, senão após a Segunda Guerra Mundial. O primeiro espécime americano foi im-

BIRMANÊS MARROM

portado da Índia e, a despeito do nome, não tem sido possível estabelecer-se nenhuma conexão com a Birmânia. Efetivamente, este gato resulta ser um híbrido Siamês decorrente do cruzamento desta raça com uma outra não identificada que tinha pelagem escura. Os genes que determinam a coloração do Birmanês e do Siamês pertencem à mesma série, mas esses gatos não são parecidos entre si. Apesar das descrições anteriores, o Birmanês não é um Siamês de pêlo escuro, ainda que a crescente demanda deste belo animal, em determinada época, tenha levado a cruzá-lo tanto com o Siamês que muitos dos chamados Birmaneses eram exatamente siameses, razão pela qual a Cat Fanciers Association retirou seu reconhecimento por muitos anos. O padrão britânico acentua claramente:

"O Birmanês é um elegante gato do tipo exótico de raça definida. Qualquer aspecto que lembre o Siamês ou o gato europeu deve ser considerado como defeito.

O corpo deve ser de comprimento e talhe médios, mais forte e musculoso do que aparentemente parece. O peito deve ser forte, de perfil arredondado, e o dorso, reto da espádua à anca. Patas delgadas e bem proporcionais ao corpo; as traseiras mais longas que as dianteiras; e pés de forma oval e bem delimitados. A cauda deve ser reta, de comprimento médio, não muito adensada na base e afinando apenas ligeiramente para terminar com uma ponta arredondada sem ossos defeituosos.

A parte superior da cabeça deve ser ligeiramente arredondada, as orelhas bem separadas, bochechas amplas que se estreitam até formar um triângulo pontiagudo. A mandíbula deve também ser ampla e o queixo, forte. Um focinho estirado deve ser considerado como grave defeito. As orelhas, bem separadas e de tamanho médio, são amplas na base e apresentam pontas ligeiramente arredondadas; sua borda exterior continua com a linha da parte superior da cabeça. Isso pode não ser possível em machos que tenham desenvolvido plenamente a face. De perfil, deve parecer que as orelhas estão ligeiramente inclinadas para a frente. O nariz deve apresentar um desnível e de perfil deve mostrar uma mandíbula bastante pronunciada. Os olhos, bem afastados, devem ser grandes e brilhantes, e a linha que segue a parte superior destes mostra uma inclinação do tipo oriental direcionada para o nariz, sendo a linha inferior arredondada."

O padrão introduzido em 1974 e o introduzido nos Estados Unidos em 1959 exigem um gato mais curto, mais compacto e de cabeça mais redonda que a admitida previamente. O padrão americano reclama ainda que os pés e os olhos sejam arredondados. Em ambos os casos, os olhos devem ser de cor amarela e quanto mais dourado melhor.

O pêlo deve ser curto, fino e assentado, com uma textura acetinada. A cor deve ser de um marrom suave, sombreado quase imperceptivelmente por um tom mais claro para as partes inferiores. As orelhas e a face podem ser ligeiramente mais escuras, mas não devem apresentar outras sombras ou marcas. Contudo, ante um excelente exemplar, os juízes ignoram as marcas tabby em gatinhos e também alguns pêlos brancos que porventura possa haver. A pele do nariz e do coxim plantar é de cor marrom. Os gatinhos apresentam freqüentemente cor de café, que vai escurecendo com a idade. Contudo, uma cor muito escura, próxima do preto, não é admitida. O gato Birmanês é um animal inteligente, amistoso e vocaliza menos que o Siamês.

GATO BIRMANÊS AZUL

O primeiro registro de gato Birmanês com gene recessivo para o azul que produziu um gatinho de cor clara verificou-se com um exemplar britânico originado de um pai americano importado em 1955. Cinco anos mais tarde, os cruzamentos adequadamente conduzidos entre os azuis deram lugar a uma raça pura, capaz de obter um estatuto próprio para o Birmanês Azul no GCCF e em várias outras associações americanas.

O padrão britânico exige que a pelagem, no adulto, seja "de um cinza-prateado muito suave, apenas ligeiramente escuro no dorso e na cauda. Deve haver um matiz distinto, prateado-brilhante, ao redor de áreas como orelhas, face e pés". Como isso está a indicar, a pelagem é mais branda em tonalidade e menos azul que a do Russo Azul ou do Britânico Azul. O coxim plantar deve ser cinzento e a pele do nariz de um cinzento muito escuro. Em relação às demais características, deve-se atentar para as exigências do Birmanês Marrom, salvo no que concerne à coloração dos olhos, em que uma coloração mais clara é admitida.

BIRMANÊS AZUL

GATO BIRMANÊS CHOCOLATE (BIRMANÊS CHAMPAGNE)

A cor chocolate nos gatos é outra modificação do gene que determina a cor preta, ou seja, marrom no Birmanês, e é admitida pelo GCCF e várias outras associações americanas. A coloração no adulto deve ser de um café com leite. As orelhas e a face podem ser ligeiramente mais claras mas as patas, a cauda e a mandíbula devem ser da mesma cor do dorso. A coloração uniforme é muito apreciada. A pele do nariz deve ser de um marrom-chocolate moderado e o coxim plantar de um rosa-tijolo sombreado de chocolate. No tocante às demais características, este gato deve ajustar-se às normas do Birmanês Azul.

BIRMANÊS LILÁS OU BIRMANÊS PLATINA

A pelagem lilás tem sido obtida pelo cruzamento entre birmaneses chocolates portadores do gene azul ou entre um Birmanês Chocolate portador do gene azul e um Birmanês Azul. As crias que adquirem a modificação chocolate mais a dupla dose de azul têm uma pelagem lilás (platina) que na maturidade se tornará um cinza-pálido muito delicado, ao qual uma ligeira tonalidade rosa conferirá um ar esmaecido. As orelhas e a face podem apresentar uma coloração ligeiramente mais escura. A pele do nariz deve ser de uma cor rosa-

BIRMANÊS CHOCOLATE

BIRMANÊS LILÁS

lavanda e o coxim plantar de um rosa mais claro nos gatinhos, tornando-se rosa-lavanda quando eles atingem a idade adulta. As demais características devem ser as mesmas do Birmanês Marrom. Eles são reconhecidos como uma raça na Grã-Bretanha e podem ser registrados na Canadian Cat Association (CCA).

BIRMANÊS VERMELHO

A coloração vermelha em birmaneses foi obtida, pela primeira vez, pelo cruzamento do Tabby Vermelho com o Siamês Vermelho Point. Atualmente, animais desta cor são aceitos como pertencentes a uma raça distinta na Grã-Bretanha. A pelagem deve ser de uma cor tangerina-clara. Atualmente, marcas tabbies claras na face e pequenas marcas indeterminadas em outras partes (salvo no costado e ventre) são admitidas, desde que o animal seja um excelente exemplar. As orelhas devem ser mais escuras que o dorso, e a pele do nariz e o coxim plantar, cor-de-rosa. As demais características devem enquadrar-se no padrão Birmanês Marrom.

BIRMANÊS ATARTARUGADO

A pelagem atartarugada, que ocorre apenas nas fêmeas, é obtida a partir dos mesmos cruzamentos que originam o Birmanês Vermelho. Ainda que nos concursos a cor e as marcas não sejam tão importantes para relacioná-lo ao tipo Birmanês, a pelagem deve constituir-se numa mistura de marrom, creme e vermelho sem barras aparentes. A pelagem pode exibir duas nuanças de suas cores básicas e, com isso, dar a aparência de três ou quatro cores, as quais podem estar misturadas ou dispostas em manchas. São admitidas manchas e a cor uniforme nas patas e na cauda. A pele do nariz e o coxim plantar podem ser de uma só cor ou manchados de marrom e cor-de-rosa. Em relação aos demais aspectos, este gato, reconhecido como raça na Grã-Bretanha, deve ser como o Birmanês Marrom.

BIRMANÊS CREME

Tem sua origem no mesmo programa de cruzamento dos dois tipos precedentes e admitem-se também como excelentes Birmaneses Creme aqueles espécimes que apresentam ligeiras marcas tabbies na face e outras marcas indeterminadas sobre o resto do corpo, salvo nos flancos e no ventre. A pelagem deve ser de cor creme com orelhas apenas ligeiramente mais escuras que a cor da pelagem do dorso. A pele do nariz e do coxim plantar deve ser cor-de-rosa. Quanto aos demais atributos, são semelhantes em tudo ao Birmanês Marrom.

BIRMANÊS AZUL-CREME

Este tipo de coloração, que só aparece nas fêmeas, é obtido pelos mesmos cruzamentos dos tipos anteriores. Trata-se de uma mistura de azul e creme,

BIRMANÊS VERMELHO

BIRMANÊS ATARTARUGADO

BIRMANÊS CREME

BIRMANÊS AZUL-CREME

BIRMANÊS CHOCOLATE-ATARTARUGADO

sem barras, distribuída de maneira tão uniforme como no Birmanês Atartarugado. Aqui também o tipo merece mais atenção que a cor e as marcas. A pele do nariz e do coxim plantar pode ser de uma só cor ou manchada de azul e cor-de-rosa. No mais, esta raça assemelha-se ao Birmanês Marrom.

BIRMANÊS CHOCOLATE-ATARTARUGADO

Rigoroso cruzamento seletivo deu origem a esta raça, ora reconhecida na Grã-Bretanha, e que deve ser uma mistura de chocolate e creme, sem qualquer barra aparente, distribuída de forma semelhante ao Birmanês Atartarugado. O tipo Birmanês é mais importante que a cor e as manchas. A pele do nariz e do coxim plantar pode ser de cor uniforme ou manchada de chocolate e cor-de-rosa.

BIRMANÊS LILÁS-ATARTARUGADO (LILÁS-CREME)

Ainda uma outra variação atartarugada do tipo Birmanês, reconhecida como raça na Grã-Bretanha, é o lilás-creme, no qual essas cores devem estar distribuídas como no Birmanês Atartarugado, sem barras aparentes. O tipo Birmanês é mais importante que as cores e as marcas. A pele do nariz e do coxim plantar pode ser de cor uniforme ou manchada de lilás e cor-de-rosa.

BIRMANÊS LILÁS-ATARTARUGADO

GATOS SIAMESES

O mundo dos gatos conta com muitas lendas acerca da origem das diversas raças e também com fábulas interessantes para explicar suas características individuais, mas, ainda que essas lendas pareçam ser verdadeiras, freqüentemente os registros históricos não oferecem evidências para apoiá-las. Tem-se afirmado freqüentemente que o primeiro Siamês visto na Grã-Bretanha (algumas versões afirmam ter sido um par) foi trazido do Sião em 1884 por Owen Gould, cônsul geral britânico em Bangcoc, e acredita-se mesmo que lhe tenha sido presenteado pelo rei do Sião. Este gato ou um outro espécime importado foi exibido por sua irmã na exposição do Crystal Palace no ano seguinte. Durante os anos subseqüentes apareceram outros representantes desse tipo, sendo as primeiras características-padrão publicadas pela revista *Our Cats* (*Nossos Gatos*) em 1892. Alguns autores dão pouca credibilidade à veracidade dessa origem do Siamês assim como à da origem geográfica do Abissínio e do Russo Azul, acentuando que os tipos siameses ocorrem em outros países e que eles ou gatos muito parecidos a eles apareceram na arte ocidental muitos séculos antes. O naturalista e explorador alemão Peter Pallas descreveu e publicou uma gravura de um gato por ele visto em 1794 quando procedia a explorações nas imediações do mar Cáspio, e que tinha o corpo marrom-acastanhado claro, com marcas pretas muito parecidas aos pontos de um Siamês. Ele era filho de uma gata de cor preta e poderia mesmo ser uma das muitas mutações naturais que ocorrem de vez em quando. Contudo, uma fotografia do Seal Point ou Vichien Mas, como ele é chamado, aparece numa coleção de ilustrações e versos feitos, provavelmente, 400 anos antes do período de Ayudha do Sião.

Independentemente de o Siamês dever ou não seu desenvolvimento aos reis do Sião, é geralmente aceito que ele é de origem asiática. Tem sido sugerido que o Siamês é variação parcialmente albínica do gato Birmanês, e um especialista da época vitoriana declarou ser ele "derivado do cruzamento de um gato sagrado da Birmânia com gato anamita introduzidos numa religião secreta do império do Khmer na Birmânia e no Camboja". Talvez um dia alguém consiga alguma evidência sólida para apoiar uma dessas teorias. Por enquanto, os proprietários de siameses podem acreditar naquela de que mais gostarem.

Os primeiros siameses criados na Grã-Bretanha tinham uma aparência muito diferente da raça que é hoje tão admirada. Eles eram muito mais robustos e tinham, comparativamente, a cabeça arredondada, não se diferenciando muito do tipo europeu de pêlo curto. Mas em 1902, quando o primeiro padrão foi estabelecido, eles foram já descritos como "em todos os aspectos opostamente ao ideal para o tipo de pêlo curto" e eram admirados por sua aparência esbelta. Mas apresentavam dois graves defeitos, segundo os especialistas atuais: eram estrábicos e tinham a cauda retorcida. Histórias pitorescas procuram explicar tais características: os contornos da cauda tinham sido adquiridos porque os gatos de uma princesa oriental portavam em suas caudas os anéis da nobre dama enquanto esta se banhava e, para não perdê-los, havia sido feito um nó na ponta da cauda. Outra história assegura que eles enrolavam na cauda o cálice de um templo para guardá-lo e o vigiavam tanto que acabaram vesgos.

O Siamês atual deve ter a cabeça em forma de cunha com contornos suaves tanto vistos de perfil como de frente. As bochechas não devem ser nem demasiadamente comprimidas nem arredondadas, ainda que possa haver uma mudança do ângulo ao nível do nariz. Os siameses "fora de moda", com cabeça arredondada, terão poucas possibilidades num concurso mas são, sem sombra de dúvida, gatos muito bonitos.

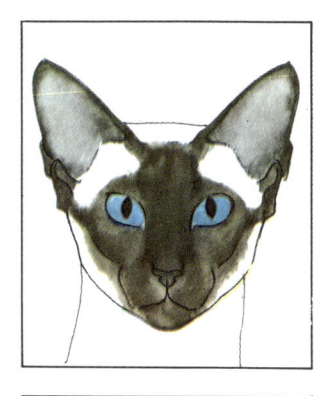

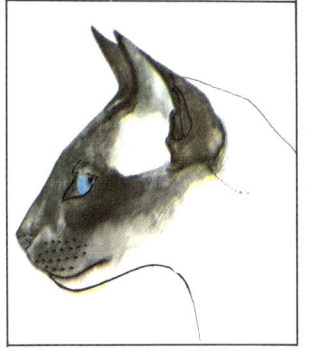

A cabeça do Siamês é cuneiforme, estreitando-se em linhas retas para terminar em um focinho fino.

A aparência elegante não se constitui no único atributo que faz do Siamês o animal mais popular entre os gatos de raça. Sua conduta e seu temperamento colocam-no em posição de destaque. É geralmente muito inteligente. Assume a liderança mais facilmente que a maioria dos gatos e pode ser muito habilidoso para aprender truques e brincadeiras. Do mesmo modo, pode ser um ladrão eficiente e astuto o suficiente para impor sua própria vontade. Eles se tornam muito apegados a seus donos e gostam de participar de tudo o que se passa, exigindo atenção todo o tempo e demonstrando apreciável dose de ciúme se esta atenção não lhes é dirigida. Podem ser extremamente loquazes e às vezes demasiadamente insistentes. Alguns siameses têm uma voz áspera que pode ser irritante e, quando no cio, quase todas as fêmeas siamesas têm um miado alto e penetrante que pode ser ouvido a distâncias consideráveis.

Quando foram introduzidos, os siameses eram considerados como gatos de constituição delicada, suscetíveis a doenças mas, se provêm de um grupo sadio, as crias siamesas são tão robustas como as de qualquer outra raça e, geralmente, se desenvolvem mais rapidamente que as de outras raças, mostrando grande interesse por aventuras já ao atingir o primeiro mês de vida. Fisicamente, amadurecem muito mais cedo que os outros gatos, e uma fêmea pode iniciar sua vida reprodutiva com apenas 6 meses de idade, tendo sido registrados casos de gatinhas com cio aos 4 meses de idade. Alguns machos são capazes de reproduzir-se antes de completar seu crescimento, ainda que sejam sexualmente menos precoces que as fêmeas. Os Siameses parecem ser uma raça particularmente sensual, mas não devem ser acasalados muito cedo. Eles geralmente têm ninhadas de quatro, cinco ou mais crias.

SIAMÊS SEAL POINT

O tamanho dos gatos siameses varia bastante, dos machos grandes às diminutas fêmeas, mas o padrão exige um animal de porte médio, corpo alongado e esbelto, com patas delgadas e pés ovais e pequenos. Os membros posteriores devem ser ligeiramente mais longos que os dianteiros. A cauda longa e fina, que não deve ser espessa na base, estreita-se na ponta. Ela pode ser reta ou, como na Grã-Bretanha, ligeiramente retorcida, embora esta torção deva ser apenas sentida mas não visível. A cabeça deve ser longa e bem proporcionada, com olhos bem separados. Deve estreitar-se em linhas perfeitamente retas, terminando em um focinho muito fino, com perfil reto e queixo forte. As orelhas devem ser bastante grandes, retas, amplas na base e terminando em ponta. Os olhos são de forma oriental e inclinados, de cor azul-profundo. A pelagem é curta, fina e brilhante, e estreitamente aderida ao corpo. No inverno, pode crescer um pouco mais.

O modelo de marcas está rigidamente definido e deve estar restrito à máscara e extremidades, as quais devem ser claramente distinguidas, apresentando um sombreado mais escuro na pelagem das espáduas e ancas. Em muitos gatos, a pelagem escurece consideravelmente com a velhice e, se o animal está enfermo ou durante estações muito quentes, os pontos podem apresentar-se man-

SIAMÊS SEAL POINT

chados. A máscara facial se estende do nariz e dos olhos às bochechas e ao queixo, mas a cor mais escura não deve descer para a garganta. Traços muito delicados da cor da máscara ligam-se com as orelhas sem, contudo, dar-lhe a aparência de um capuz. As orelhas, a cauda, as pernas e os pés devem ser densamente coloridos. Freqüentemente, encontramos exemplares com uma mancha escura no ventre, mas isso é considerado um defeito, já que a parte inferior e o peito devem ser muito pálidos sem qualquer sinal de pêlos escuros. Qualquer mancha branca nas patas desqualifica o animal em exposições, o mesmo ocorrendo com "óculos" claros ao redor dos olhos.

O Seal Point foi a princípio a única variedade de gatos siameses a ser reconhecida, contudo outras colorações apareceram ocasionalmente, sendo atualmente reconhecidas algumas delas como variedades distintas.

No Siamês Seal Point, a cor do corpo deve ser creme sombreado de marrom-claro no dorso sem qualquer sinal de matiz cinza. A máscara e outros pontos devem ser de um marrom intenso (verdadeiramente um marrom-escuro – "foca") tanto no coxim plantar e na pele do nariz como nas extremidades. De fato, o Seal Point é, teoricamente, um Black Point, pois geneticamente ele é preto. Contudo, a diluição genética que produz os pontos característicos enfraquece também a intensidade da cor para produzir uma tonalidade "foca"-profundo.

Os gatinhos, ao nascer, são quase brancos e apresentam uma pelagem crespa sem qualquer traço ou marca. O primeiro sinal dos pontos surge como uma mancha ao redor do nariz. Se os pais são portadores de genes de diferentes variedades de cor, só nesta oportunidade será possível determinar-se a que va-

SIAMÊS AZUL POINT

riedade pertencerá o gatinho. Os pontos tornam-se mais nítidos à medida que o animal cresce, mas os traços finos que ligam a máscara às orelhas podem não desenvolver-se até que o animal esteja completamente adulto, de modo que os juízes admitem esta falta quando animais jovens são apresentados em concursos.

SIAMÊS AZUL POINT

O Azul Point foi a segunda variedade de siameses a ser reconhecida oficialmente. Registrada pela primeira vez em 1894, tem aparecido nos concursos britânicos e americanos desde 1920. Eles devem apresentar todas as características do Seal Point, salvo no tocante à cor, que deve ser de um branco-glacial sombreado de azul-claro no dorso. Os pontos devem ser de um azul mais escuro e frio, mas não devem chegar ao cinzento nem ao brilho metálico que ocorre em muitos espécimes.

O Azul Point tem a reputação de ser mais dócil e menos temperamental que o Siamês Seal Point mas ele também necessita bastante atenção do homem e não gosta de ficar sozinho por longos períodos.

SIAMÊS CHOCOLATE POINT

Gatos siameses Chocolate Point apareceram entre os primeiros siameses criados na Inglaterra mas eram geralmente considerados como exemplares de coloração pobre, a despeito do fato de sua coloração dever-se a um gene completamente diferente do Seal Point. O interesse por esta raça foi crescendo paulatinamente mas só a partir de 1950 é que ela foi reconhecida como raça

SIAMÊS CHOCOLATE POINT

pelo GCCF. Nos anos subseqüentes foi aceita por todas as associações da América do Norte. O padrão é o mesmo adotado para o Seal Point, salvo no que concerne à pelagem, que deve ser cor de marfim; qualquer sombreado deve ser da cor dos pontos: café-com-leite, todos da mesma intensidade. As orelhas não devem ser mais escuras que os outros pontos. É uma variedade difícil de ser mantida com elevado grau de pureza porque seu cruzamento com o Azul Point, para produzir o Siamês Lilás Point, introduz inevitavelmente o fator azul na linha chocolate e, com isso, a cor da pelagem tem assumido uma tonalidade mais fria que a dos gatos que antecederam a 1960. O cruzamento entre gatos chocolates portadores de fator azul podem produzir mais gatinhos lilases que chocolates. As crias desenvolvem sua coloração mais lentamente que o Seal Point e o Azul Point. Gatinhos com uma máscara completa tornar-se-ão demasiadamente escuros quando alcançarem a idade madura. É bem verdade que o Chocolate Point pode não alcançar sua coloração completa definitiva até depois de 1 ano de idade. A variação de cor que se verifica com todos os siameses, em decorrência do sol e das variações de temperatura, é particularmente observada no Chocolate Point.

SIAMÊS LILÁS POINT

SIAMÊS LILÁS POINT

Originalmente era conhecido como Frost Point, mas na atualidade a maioria das associações o denomina de Lilás Point. Esta variedade ocorre quando ambos os pais são portadores de genes recessivos para o Chocolate e o Azul. Os descendentes do Lilás Point são também lilases. Ajusta-se ao padrão Siamês Seal Point salvo na cor, que é branco-glacial (magnólia) com sombreado, se existente, para sua tonalidade, com pontos que devem ser cinza-róseo, consoante as exigências britânicas. De acordo com as associações americanas, a pelagem do Lilás Point deve ser branco-leite ou glacial, com pontos de cinzagelo com ligeiro infiltrado de rosa. Na Grã-Bretanha, a pele do nariz e o coxim plantar são descritos como lilás-pálido. A American Cat Fanciers Association exige que a pele do nariz seja de um lilás-velho translúcido e o coxim plantar de um rosa-glacial, e a Cat Fanciers Association determina que a pele do nariz e o coxim plantar sejam cor lilás-róseo. Na América do Norte, os olhos devem ser de um azul-profundo ou brilhante, ao passo que na Grã-Bretanha eles devem apresentar um "azul-claro leve e vívido (mas não pálido)".

SIAMÊS VERMELHO POINT

Esta raça teve sua origem no cruzamento entre fêmeas Seal Point e machos Tabby Vermelho de pêlo curto. Seu desenvolvimento foi lento porque os criadores tinham dificuldade em manter bons exemplares do tipo Siamês. Seu

SIAMÊS VERMELHO POINT

reconhecimento na América ocorreu em 1956 mas, inicialmente, sob a denominação de Vermelho Point de pêlo curto – a despeito de muitas associações aceitá-la atualmente como uma variedade siamesa. Os criadores britânicos tiveram que esperar dez anos mais para que o GCCF lhe desse reconhecimento. Inicialmente, muitos gatos mostravam traços do Tabby e por isso, só após o desenvolvimento do Tabby Point, é que eles puderam ser chamados de Siamês Vermelho Point. A prevalência do padrão tabby nos gatos vermelhos e o efeito da restrição do matiz da cor sobre sua intensidade têm favorecido o desenvolvimento de gatos com máscara e pontos muito pálidos. O produto final desse efeito é uma pelagem branca sombreada de damasco no dorso. Máscara, orelhas e cauda de cor vermelho-dourada; patas e pés vermelho-dourados ou damasco. A pele do nariz deve ser rosa e os olhos de um azul-claro vívido. Atualmente, o padrão britânico admite a existência de linhas e barras na máscara, patas e cauda. As demais características do Vermelho Point devem ajustar-se ao padrão para o Siamês Seal Point.

SIAMÊS ATARTARUGADO POINT

Como todos os gatos atartarugados, esta é uma variedade considerada como sendo constituída exclusivamente por fêmeas. Pode ser obtida pelo cruzamen-

SIAMÊS ATARTARUGADO POINT

to de um Seal Point com um Vermelho Point ou de um Atartarugado Point com qualquer outro tipo Siamês. Foi uma variedade desenvolvida inicialmente pelo cruzamento do Vermelho com o Atartarugado de pêlo curto com siameses, numa tentativa de produzir a coloração Vermelho Point. Essa variedade se ajusta aos critérios básicos do Siamês Seal Point, salvo no que concerne à cor, que consiste em um misturado ou manchado de Vermelho e/ou Creme com a cor básica de fundo dos tipos Seal, Azul, Chocolate ou Lilás. A coloração é naturalmente limitada à máscara e aos pontos, mas a distribuição das manchas é casual e de pouca importância, embora barras e listas sejam consideradas defeitos. A cor da pele do nariz e dos olhos deve equivaler-se à cor básica do Siamês de uma cor única. Algumas associações americanas não classificam esse gato, de características tão particulares, como pertencente à raça Siamês, mas agrupam-no sob a denominação de Colour Point de pêlo curto.

SIAMÊS TABBY POINT (SIAMÊS LYNX POINT)

Os primeiros exemplares desta coloração foram registrados bem no início deste século, e em meados da década de 40 receberam a denominação oficiosa de Siamês Prateado Point. Foi só por volta dos anos 60 que eles começaram a atrair a atenção. Foram reconhecidos na Grã-Bretanha em 1966 como Siamês Tabby Point, embora tenham sido previamente conhecidos ora como Shadow Point; ora como Attabiys, ou como Lynx Point. Sob esta última designação, tem sido registrado em algumas associações da América do Norte, Austrália e Nova Zelândia. Outras associações americanas classificaram-nos como Colour Point de pêlo curto juntamente com o Vermelho Point e o Atartarugado Point.

SIAMÊS TABBY POINT (SIAMÊS LYNX POINT)

    Na Grã-Bretanha, têm sido agrupados em uma só raça todos os Tabby Point, sejam quais forem as variedades siamesas de base (Seal Azul, Chocolate e Lilás) e todas as variações atartarugadas dessas cores. Na Europa, algumas associações reconhecem cada uma delas como uma raça diferente mas as exigências básicas são as mesmas para todas elas e devem ajustar-se às do tipo Siamês Seal Point. A pelagem do corpo deve ser de cor clara sem marcas e de conformidade com o padrão básico de cores, particularmente no que concerne à tonalidade das marcas. As patas devem apresentar listas horizontais descontínuas de tamanho variado e com o dorso das patas traseiras de uma única cor. No Siamês Tabby Point Atartarugado deve haver alguma mistura, manchas vermelhas e/ou creme nas patas. A cauda deve ter anéis claramente definidos, de tamanhos variáveis, e terminar com uma só cor. A máscara deve ter listas tabby bem delineadas, especialmente em torno dos olhos e do nariz. O bordo das pálpebras é escuro e deve lembrar a cor das marcas, e manchas escuras aparecem na base dos bigodes. As orelhas devem ser de cores sólidas sem listas mas com uma "impressão digital" em sua parte posterior – exceto no Tabby Point Atartarugado, no qual aparece misturado o vermelho e/ou o creme. A pele do nariz e o coxim plantar devem ajustar-se ao padrão básico de cor, podendo o nariz ser cor-de-rosa. O coxim plantar no Tabby Point Atartarugado deve ser mesclado e os olhos são de um azul-claro brilhante.

O Siamês Tabby Point tem todas as qualidades da família Siamês. Alguns criadores sugerem que eles apresentam maior docilidade que o Seal Point típico, mas são geralmente indivíduos muito confiantes.

O Siamês Tabby Point Vermelho não é reconhecido dentro dessa raça pelo GCCF. À simples vista, é impossível distingui-lo do Siamês Vermelho Point e só por sua progênie pode estabelecer-se esta condição.

SIAMÊS CREME POINT

As versões Creme Point e Creme Tabby Point do tipo Siamês não podem ser diferenciadas visualmente, uma vez que ambas apresentam marcas tabbies. Elas seguem todas as características do tipo Siamês. A cor do corpo deve ser branca e as pernas e face sombreadas como de um creme coalhado, ao passo que as orelhas, o nariz e a cauda devem ser de um damasco-pálido, e a pele do nariz e do coxim plantar, cor-de-rosa. Na Grã-Bretanha, esta variedade se classifica no grupo Outras Variedades de Siamês, classe que agrupa as variedades de cor não reconhecidas como raças distintas, para que, desse modo, possam concorrer em exposições.

SIAMÊS CREME POINT

SIAMÊS ALBINO

Esta variedade conhecida exclusivamente na América é geneticamente um verdadeiro albino, não apresentando nenhuma pigmentação. A pelagem é branca, a pele é rosa, e os olhos, de tonalidade rosa.

COLOURPOINT DE PÊLO CURTO

Alguns organismos oficiais não reconhecem os siameses Tabby Point (Lynx Point), Vermelho Point e Atartarugado Point como verdadeiros siameses e os classificam como Colourpoint de pêlo curto. Eles estão ilustrados e descritos, neste livro, dentro do grupo dos siameses.

GATO DE TONKIN

É uma variedade muito rara, reconhecida unicamente pela Federação Independente de Gatos e que só é considerada como raça na América. Provém do cruzamento do Siamês com o Birmanês. Gatos parecidos têm sido criados na Grã-Bretanha.

BRANCO EXÓTICO

Este gato não é o mesmo que o Siamês Albino americano. Sem dúvida, é uma raça inglesa do tipo exótico em que os fatores genéticos que restringem a coloração das marcas do Siamês tinham sido tão dominantes que a pelagem não apresenta nenhum traço delas. Existiram problemas de surdez no desenvolvimento desta raça e, a despeito de aquelas linhagens terem sido suprimidas, muitos veterinários não estão ainda convencidos de que esta raça não apresente deficiência congênita para numerosas doenças.

O Branco Exótico é um gato delgado e ágil, bem proporcionado e de aparência graciosa. A cabeça, vista de perfil, deve ser alongada e em forma de cunha, e a face deve estreitar-se em linhas retas, acabando em um focinho muito fino. Os olhos devem ser de um azul-claro brilhante e implantados de forma oriental. As orelhas grandes, amplas na base e retas. As patas devem ser longas, delgadas, com pés ovalados pequenos e bem delimitados; a cauda é longa, afilada e em forma de chicote. A pelagem deve ser completamente branca, e a pele do nariz e coxim plantar, cor-de-rosa.

GATO DE HAVANA (GATO MARROM DE HAVANA)

O gato de Havana é um gato Siamês Chocolate em que o fator de diluição da cor que produz as marcas do Siamês não atua, ainda que criadores ameri-

BRANCO EXÓTICO

GATO DE HAVANA (GATO MARROM DE HAVANA)

canos, no desenvolvimento desta raça, tenham-se afastado bastante do original e, na atualidade, tanto a associação como a federação de felinófilos considerem defeito ao tipo que apresenta cabeça de Siamês. A raça foi desenvolvida por criadores britânicos, que exportaram pela primeira vez gatinhos Havana para os Estados Unidos em 1956. Dois anos mais tarde, o GCCF reconheceu a raça, mas refutou o nome gato de Havana, temendo que isto trouxesse confusão no tocante à origem da raça, razão por que esta se tornou conhecida com o nome de Marrom-Castanho de pêlo curto. Na América, ela é conhecida como Marrom-Havana e, em 1970, a associação oficial britânica concordou em devolver-lhe o nome oficial de Havana.

O padrão britânico exige que o gato tipo Exótico apresente uma ossatura fina, um corpo longo, delgado e sinuoso, e de proporções graciosas. As patas devem ser delgadas, com pés ovais e bem delimitados, sendo as traseiras ligeiramente maiores que as dianteiras. A cauda é longa em forma de chicote e não deve apresentar nenhuma peculiaridade. A cabeça deve ser longa e bem proporcionada, estreitando-se para um focinho muito fino; as orelhas são grandes e retas, amplas na base e bem separadas. Os olhos devem ser inclinados, de forma oriental, de cor verde. O padrão americano requer um tipo Exótico menos rigoroso, de olhos em forma oval e orelhas ligeiramente arredondadas nas pontas. Especifica também que, quando vista de perfil, a cabeça deve apresentar uma saliência distinta ao nível dos olhos e um bigode interrompido.

A pelagem curta e lustrosa deve ser uniformemente distribuída e apresentar uma coloração marrom-castanho. Alguns gatos têm uma tendência melânica que é considerada defeito nos concursos e muitos perdem sua cor em diferentes pontos durante períodos quentes de verão, e o extremo de suas caudas descoram para uma tonalidade ruiva; obviamente, eles não devem ser expostos nessas épocas do ano.

Criadores britânicos constataram que o acasalamento continuado de exemplares desta variedade, no início de sua criação, levava à perda do vigor, ao amarelamento da cor dos olhos e ao escurecimento da pelagem. Eles corrigiram isso cruzando-a com o Siamês Chocolate Point, o que tem ajudado a manter as características rigorosas exigidas pelo padrão britânico para o tipo Exótico.

Esta é uma raça sadia e extrovertida com a qual os criadores não têm encontrado as dificuldades digestivas pelo leite tão freqüente nos siameses. É, contudo, de certa forma suscetível ao frio e à umidade.

GATO LILÁS EXÓTICO

Este gato de colorido próprio pode ser produzido apenas quando ambos os pais são portadores de genes para o azul e para o chocolate. Alguns exemplares finos apareceram durante a criação do gato de Havana, mas só ao final dos anos 60 é que os criadores começaram a desenvolvê-lo como uma raça distinta. É aceito por algumas associações nos Estados Unidos e não existem dúvidas de que logo se tornará uma raça completamente reconhecida. Efetivamente, este gato apresenta um colorido próprio tipo Siamês e deve ter uma pelagem macia e sedosa com uma coloração cinza-gelo, ligeiramente tingida de cor-de-rosa. A cabeça deve ser longa e bem proporcionada, estreitando-se em linhas retas que terminam em um focinho fino e um queixo forte. As orelhas são grandes e retas, implantadas bem separadamente. Os olhos tipo oriental devem ser de um verde-vivo, embora gatinhos possam mostrar olhos tingidos de azul ou amarelo. O coxim plantar deve ser cor-de-rosa. O padrão da ACFA exige que estes animais sejam ligeiramente mais pesados que os siameses.

MAU EGÍPCIO

Esta raça é conseqüência de uma tentativa deliberada de recriar um gato semelhante aos que figuram nas esculturas e pinturas do antigo Egito. Na América, ela foi desenvolvida a partir de gatos realmente provenientes do Cairo em 1953, e na Grã-Bretanha teve sua origem a partir do tabby do tipo Exótico que foi produzido durante a criação do Siamês Tabby Point. O Mau (palavra egípcia que significa gato) é reconhecido por um número de associações americanas em duas variedades: a prateada, com marcas de cor escura em um fundo prateado-pálido, e a variedade bronze, em que marcas de um marrom-escuro contrastam com o fundo de cor bronze-claro. Na Grã-Bretanha, aproxima-se o reconhecimento desta raça em várias colorações tabbies.

Na Grã-Bretanha, este gato apresenta o tipo Exótico de seus ancestrais siameses com olhos orientais, mas na América o tipo Exótico deve ser menos acentuado e, embora os olhos devam ser ovais e inclinados, olhos completamente de forma oriental são considerados como um defeito. O padrão do CFF especifica uma cabeça do tipo Abissínio. A cor dos olhos deve ser verde, amarela ou avelã. Os gatos americanos devem ter um padrão de pelagem malhado, mas na Grã-Bretanha marcas tabbies são também permitidas. No gato britânico, considera-se um detalhe encantador a presença de uma marca especial sob a forma de um besouro situada entre as orelhas e que recorda os amuletos dos faraós.

OCICAT

É uma raça desenvolvida nos Estados Unidos pelo cruzamento do macho de raça Siamês Chocolate Point com uma fêmea meio Siamesa, meio Abissínia. Até pouco tempo era desconhecida na Grã-Bretanha e quase desconhecida na Europa; tem a pelagem curta e sedosa, malhada e com marcas tabbies no pescoço, nas patas e na cauda, e os olhos são de cor dourada. Duas variedades de cor têm sido produzidas, ambas com pêlos de cor creme-pálida. O castanho-escuro tem malhas e barras de cor marrom castanho-escuro, e o castanho-claro tem marcas de cor chocolate com leite. Eles são algo parecidos com o Mau Egípcio.

LILÁS EXÓTICO

MAU EGÍPCIO

KORAT

Ao contrário do que ocorre com o Siamês, a origem do Korat não admite discussões. Provém sem sombra de dúvida da Tailândia, onde é conhecido há muitos séculos com o nome de Si-Sawat. Ocasionalmente, têm aparecido espécimes no Ocidente, mas a raça não era realmente conhecida fora do Sião (atual Sri-Lanka) até que um par de animais foi trazido para a América em 1959. Eles foram aceitos como uma variedade distinta em 1966 e na atualidade estão também começando a ser conhecidos na Europa.

Trata-se de um gato de porte médio, forte e musculoso, bastante baixo e com o dorso arredondado. A cauda tem comprimento médio, é muito densa na base e se afina para o extremo, terminando com uma ponta arredondada. A face tem a forma de um coração com olhos desproporcionalmente grandes e muito separados. A testa é grande e plana, e o focinho é bem desenvolvido mas não pontiagudo. Existe um ligeiro desnível entre a testa e o nariz, e nos machos existe ainda uma depressão no centro da testa. As orelhas são grandes com pontas arredondadas.

A pelagem do Korat é de um azul-prateado que não aparece em nenhuma outra raça, sem manchas ou marcas brancas, nem mesmo na pelagem dos gatinhos. Um velho poema siamês descreve o pêlo como "liso com raízes semelhantes a nuvens e com extremidades parecidas à prata". A pele do nariz, dos lábios e do coxim plantar é de cor azul-escuro ou lavanda e o coxim plantar

KORAT

pode ter uma tintura cor-de-rosa. Os olhos azuis dos gatinhos tornam-se inicialmente cor de âmbar e mais tarde assumem a cor verde-dourada resplandescente. Na Tailândia, o Korat é considerado um símbolo de sorte (Sawat significa sorte ou prosperidade) e goza de popularidade entre a população do planalto de Korat. Segundo Jean L. Johnson, que viveu na Tailândia durante seis anos, não lhe foi possível conseguir um exemplar, pois esses animais eram "oferecidos exclusivamente a personalidades como sinal de estima". Uns amigos ofereceram-se para obter um casal, que enviaram à senhora Johnson quando ela já tinha retornado à América. Este casal deu origem a uma linhagem ocidental. Em sua terra natal, os machos gozam a reputação de ser muito combativos mas tornam-se também excelentes pais, e felizes compartilham suas vidas com suas companheiras e filhotes, porém são pouco tolerantes com a presença de gatos estranhos. Em casa, o Korat geralmente permanece tranqüilo e demonstra ser inteligente, esperando participar de todas as atividades. Contudo, eles não gostam de ruídos inesperados e, se desejamos que um gato participe de um concurso, é necessário habituá-lo desde pequeno aos ruídos e distúrbios, caso contrário, eles se tornarão muito nervosos durante a exibição.

BOBTAIL JAPONÊS

Embora apenas recentemente introduzida nos Estados Unidos, e ainda quase desconhecida na Europa, esta é uma raça conhecida no Japão há muitos séculos. O templo Gotokuji, em Tóquio, é decorado com várias fileiras superpostas de pinturas que representam um desses gatos, chamado Maneki-Neko. Cada pintura mostra-o com a pata levantada num gesto de saudação, que se tem tornado um símbolo de boa sorte. Essa raça distinta aparece também em numerosos escritos e pinturas de grande fama na arte japonesa.

O Bobtail Japonês não se parece com nenhuma outra variedade de gato. Não figura nem no tipo exótico, nem no doméstico, pois, embora de corpo vigoroso e bem musculoso, é relativamente delgado. Os membros posteriores são algo mais longos que os anteriores mas, se o animal se encontra descontraído, os mantém ligeiramente flexionados, de tal forma que o dorso mantém um mesmo nível em todas as partes. Sua cauda é curta e mantém-se encurvada, de modo que, embora apresente um comprimento de 10 ou 13 centímetros, parece ser apenas de 5 ou 7,5, e seus pêlos crescem em todas as direções, dando-lhe um aspecto muito semelhante ao da cauda de um coelho.

A raça não tem nenhuma relação com o gato da ilha de Manx tampouco é portadora do gene indesejável que pode afetar inteiramente a coluna vertebral do gato de Manx. A cabeça deve formar um triângulo eqüilátero com os lados ligeiramente arredondados, com os ossos da face salientes, o nariz longo e as orelhas grandes. Os olhos grandes e ovais estão implantados de forma inclinada. A pelagem macia e sedosa é, tradicionalmente, tricolor (preto, vermelho e branco), mas o padrão provisório da associação de felinófilos admite uma ampla variedade de cores (o unicolor, o bicolor e o atartarugado), porém o desenho deve ser bem delimitado, com manchas distintamente separadas, não

BOBTAIL JAPONÊS

sendo permitidas as pintas do Siamês ou o modelo *agouti* sem desenhos claros. O pêlo cai menos que na maioria das outras raças.

REX CORNISH

Este gato tem uma pelagem pouco comum e originalmente aparece de uma mutação espontânea. O primeiro exemplar de que se tem notícia nasceu pouco antes de 1946 em Berlim oriental, mas a história desses gatos tem início com um gatinho nascido na Cornualha, em 1950, filho de uma fêmea atartarugada e branca, e um macho desconhecido. O resto da ninhada tinha pelagem normal, mas este tinha o pêlo anelado. As ninhadas advindas do acasalamento deste gato apresentavam a metade dos exemplares com pelagem anelada e, em 1957, dois exemplares foram exportados para os Estados Unidos. Em 1959, um exemplar americano dessa mutação apareceu em Oregon e, a partir de então, foram importados gatinhos da linhagem alemã, criada nos anos 50. Nenhuma linhagem pura foi estabelecida na América e não existe evidência capaz de demonstrar que a mutação americana seja geneticamente compatível com qualquer outra. Sem dúvida, tem sido realizado com sucesso o cruzamento entre o Rex Cornish e o Rex Alemão, e, provavelmente, eles são idênticos do ponto de vista genético. Na Grã-Bretanha, tanto o Rex Cornish como o Rex de Devon obtiveram registro de raça em 1967, contudo, na América, apenas um tipo é reconhecido.

REX CORNISH e a cabeça do REX DE DEVON

Na maioria dos gatos, a pelagem está formada por quatro espécies de pêlo: pêlos longos de proteção, retos, espessos e afinando uniformemente; pêlos de barba afinados desde a raiz e que se espessam antes de afinarem abruptamente; pêlos de barba dirigidos para baixo com um frisado intermediário entre os dois anteriores; e pêlos dirigidos para baixo que são por sua vez finos e anelados. No caso do Rex Alemão, a pelagem só tem pêlos dirigidos para baixo ou apresenta uma combinação desses com os pêlos de barba dirigidos para baixo. O comprimento médio do pêlo equivale aproximadamente à metade do comprimento do pêlo de um gato normal e sua espessura equivale mais ou menos a uns 60% da espessura da pelagem tradicional. Disso resulta uma pelagem curta e com aspecto anelado, ou ondulado, particularmente no dorso e na cauda. Os bigodes e as sobrancelhas devem ser sinuosos e de um bom comprimento. É admitida qualquer cor na pelagem mas manchas brancas devem ser simétricas, salvo no caso do atartarugado e branco.

O corpo deve ser compacto e musculoso, delgado, de comprimento médio com pernas longas e retas, e pés ovalados e pequenos. A cabeça tem a forma triangular média com o comprimento cerca de um terço maior que a largura e estreita-se para terminar no queixo, que é bastante forte. O crânio deve ser plano e, visto de perfil, deve aparecer uma linha reta do centro da testa ao nariz. As orelhas são grandes, implantadas na parte alta da cabeça e estão revestidas de pêlos finos. São amplas na base e se estreitam para a ponta, que é arredondada. A cauda é longa, fina e pontiaguda, coberta com pêlos encaracolados. Os olhos são ovais e de tamanho médio, e devem ter uma cor que combine com a da pelagem.

REX DE DEVON

Em 1960, nasceu em Devon um gatinho de pelagem Rex que, quando cruzado com uma fêmea Rex Cornish, produziu exclusivamente gatinhos de pelagem lisa e geneticamente diferentes, portanto. Os cruzamentos de segunda geração (nos quais os genes Cornish e Devon foram misturados) produziram um tipo Rex. Esta raça foi aceita na Grã-Bretanha em 1967 e tem sido, desde então, reconhecida em todos os lugares, exceto por algumas associações americanas.

Como o Rex Cornish, esta raça teve sua origem numa mutação surgida no gato doméstico do tipo britânico, ainda que todos os Rex tenham um corpo parecido àquele do tipo Exótico. O padrão britânico especifica que esses animais devem apresentar um peito amplo e o pescoço delgado, e, ao contrário do tipo Cornish, deve apresentar a face cheia e o nariz formando um ângulo apreciável. O focinho é curto, com um queixo forte e bigode destacado. A fronte curva-se sobre o crânio, que é plano. Os olhos são grandes, de forma oval e oblíquos, com inclinação dirigida para a borda externa das orelhas, as quais estão implantadas bem afastadas. Sua cor deve estar em consonância com a da pelagem ou apresentar um verde intenso ou amarelo (salvo quando o Rex apresente marcas siamesas, sendo conhecido como Si-Rex). A pelagem do Devon deve ser curta, fina, ondulada e sedosa. Os bigodes e as sobrancelhas devem ser também ondulados e de comprimento médio.

REX ALEMÃO

Esta raça teve sua origem com uma fêmea de cor preta em Berlim oriental, antes de 1946, da qual um programa de cruzamento planejado produziu gatos com a pelagem anelada a partir de 1950. Esses animais contribuíram para o desenvolvimento do Rex nos Estados Unidos. O Rex Alemão possui em sua pelagem uma combinação de pêlos dirigidos para a base e de pêlos de barba dirigidos para baixo, porém não possui pêlos de proteção. Este Rex é, provavelmente, de constituição genética idêntica à do Rex Cornish.

GATO EXÓTICO DE PÊLO CURTO

Este gato, conhecido como raça pela Cat Fanciers Association em 1967, é um híbrido deliberadamente criado, cujo corpo tem a conformação igual à do Persa de pêlo longo, mas está coberto por uma pelagem curta. O cruzamento

EXÓTICO DE PÊLO CURTO

mais comum tem sido entre o Persa de pêlo longo com o Americano de pêlo curto, mas o Birmanês tem sido também utilizado com igual sucesso, uma vez que o padrão americano para o tipo Birmanês não requer o padrão Exótico tão acentuado como o europeu. Além disso, a cabeça arredondada, seu amplo peito e seu corpo compacto contribuem para dar-lhe o aspecto desejado no tipo Exótico.

O Exótico é um gato grande e robusto, mas a qualidade do animal é muito mais importante que seu porte. Em aparência, ele é um típico Persa ideal, exceto pelo fato de, em vez de apresentar uma pelagem com pêlos longos e soltos, ter uma pelagem uniforme de pêlos curtos (médios, segundo o padrão de pêlos curtos), sedosos, suaves e densos. O corpo curto e compacto está suportado por patas curtas e robustas. O peito é fundo, os ombros e o traseiro, maciços, arredondados no meio e com dorso plano A cauda é curta e espessa, porém guarda proporção com o comprimento do corpo. A cabeça redonda e maciça é implantada sobre um pescoço grosso e curto, e apresenta orelhas pequenas, arredondadas nas pontas e inclinadas para a frente. As mandíbulas são amplas, as bochechas cheias, o nariz chato e amplo, os olhos grandes e redondos implantados bem separados.

Na América do Norte, são reconhecidas todas as cores e padrões do gato Persa, salvo o vermelho com cara de Pequinês.

Durante algum tempo, gatos americanos de pêlo curto que tinham um pouco de sangue persa em sua formação e que atendiam aos padrões do tipo Exótico puderam ser transferidos para esta raça, embora tivessem sido previamente registrados como americanos de pêlo curto. São os únicos gatos aos quais tem sido admitido conservar os prêmios ganhos na categoria anterior.

GATOS DE PÊLO LONGO

Os gatos de pêlo longo eram desconhecidos na Europa até o fim do século XVI, quando, segundo consta, um arqueólogo francês chamado Nicholas Fabri de Peiresc trouxe um exemplar de pêlo longo da Turquia.

Ao que tudo indica, os gatos importados da Turquia e da Pérsia (hoje Irã) eram muito apreciados por sua raridade; contudo, não foi senão cerca de 300 anos mais tarde (por ocasião da exposição felina de Crystal Palace em 1871, quando os primeiros registros de *pedigree* começaram a ser feitos e também se iniciou a criação planejada desta raça) que esses animais começaram a ser vistos mais freqüentemente no mundo ocidental. Os felinófilos do final do século XIX preferiam o tipo Persa ao gato Angorá Turco de cabeça mais triangular e, por isso, o nome "Persa" tornou-se sinônimo de "Gato de Pêlo Longo". Atualmente, com exceção do Angorá e de uns poucos outros tipos que formam categorias em separado, nas exposições felinas todos os gatos que entram na categoria "de Pêlo Longo" devem atender aos mesmos requisitos básicos. Na Grã-Bretanha, esses gatos são chamados oficialmente de Gatos de Pêlo Longo, mas muita gente ainda se refere a eles como "Gatos Persas", e, nos Estados Unidos, este nome é ainda oficialmente utilizado para designar todos os gatos de pêlo longo, com exceção do Angorá, do Balinês, do Birmanês, do Himalaia, do Mapache do Maine, do Turco e de algumas raças recentemente criadas.

Todos os gatos do grupo Persa devem ter o corpo longo apoiado sobre pernas curtas e grossas. A cabeça deve ser ampla e arredondada, com bochechas cheias, um nariz curto, quase despercebido, e uma interrupção entre o nariz e o crânio conhecida como *stop*. As orelhas devem ser pequenas, bem delimitadas e separadas, e os olhos devem ser grandes e arredondados. A cauda deve ser curta e grossa. A pelagem é longa e sedosa, e absolutamente lisa. A cabeça deve estar rodeada por um colar de pêlos mais longos, os quais, quando em exposições, são penteados para cima, permitindo que se destaque do resto do corpo e do pescoço, pondo em evidência esta característica. Este colarinho continua como uma espécie de papada entre as patas dianteiras. Devem existir longos tufos, ou mechas de pêlos nas orelhas, e a cauda bastante espessa deve apresentar uma riqueza maior de pêlos nas pontas que na base.

O gato doméstico de pêlo longo não tem equivalente entre os membros selvagens da família *Felidae*, e ainda que alguns felinos, como o lince do norte ou o leopardo das neves, tenham o pêlo mais longo que os gatos que vivem em países quentes, eles têm uma pelagem muito mais densa, sobretudo na base, que lhes protege do frio; de fato, a espessura do pêlo é muito mais importante que seu comprimento, neste caso. O pêlo longo no gato doméstico desenvolveu-se provavelmente como resultado de um tipo de mutação, e que a domesticação tem perpetuado, pois isso seria uma grande desvantagem para animais selvagens.

Os criadores de gatos de pêlo longo têm desejado produzir uma pelagem ainda mais longa e abundante, o que exige um cuidado muito grande para mantê-la em boa condição e não permitir que perca o brilho. Ainda que os ancestrais de nossos gatos modernos de pêlos longos fossem capazes de manter sua própria pelagem saudável, seria conveniente que nossos exemplares atuais fossem penteados uma, ou, de preferência, duas vezes por dia, para que a pelagem pudesse ser mantida brilhante e sedosa.

GATO ANGORÁ

No passado, todos os gatos de pêlo longo do Ocidente eram conhecidos como "Angorá", uma vez que se acreditava que os primeiros gatos de pêlo longo vistos na Europa haviam vindo da cidade de Angora, atual Ancara, a capital turca. Ela emprestou também seu nome à cabra de pêlos longos e sedosos que nos proporciona a lã moher e, por extensão, ao coelho de Angora. Tem sido sugerido freqüentemente que a origem turca do gato de pêlo longo seja um mito, como o são algumas das outras lendas que explicam o desenvolvimento de várias raças, mas gatos angorás seguramente existiram na Turquia e eram um tipo diferente do gato Persa, que mais tarde se converteu no padrão para as raças comuns de pêlo longo. O gato Angorá tem o corpo e a cauda mais longos que o Persa, e sua cabeça é menor, com orelhas retas. Na América, ele tem sido suplantado pelo gato mais pesado e na Turquia esteve em risco de tornar-se extinto, até que o zoológico de Ancara iniciou um cuidadoso programa controlado de registro da raça para assegurar sua sobrevivência.

Em 1963, o governador de Ancara deu permissão para que dois gatos Angorás do zoológico fossem levados para os Estados Unidos. Um deles era uma fêmea branca com olhos âmbar e o outro um macho branco de olhos ímpares. E de um outro com olhos âmbar, trazido para a América três anos mais tarde, a raça foi restabelecida nos Estados Unidos e reconhecida pela Associação de Felinófilos em 1970. Não é reconhecida na Grã-Bretanha.

O gato Angorá deve ser de pequeno para médio porte, sendo o macho ligeiramente maior que a fêmea. O esqueleto é fino com patas longas, sendo as posteriores maiores que as anteriores, de tal forma que a garupa se situa numa

ANGORÁ

posição elevada. Apresenta corpo robusto, porém mais longo e flexível que o do Persa, e a cauda é longa e afilada. A cabeça é pequena ou de tamanho médio, ampla entre as longas e pontiagudas orelhas, afinando-se na direção do queixo. O nariz é mais longo que o do Persa, e não o apresenta acentuado, em desnível *stop*. Os olhos são grandes e ligeiramente amendoados, com uma leve inclinação. Apenas gatos brancos são reconhecidos nos Estados Unidos, embora não exista nenhuma razão para que outras cores não possam aparecer. A linda pelagem é de um comprimento médio, macia e sedosa, com uma ligeira ondulação, uma cauda cheia e tufos nas orelhas e entre os dedos dos pés. Tem uma tendência para ondulações, particularmente no ventre. O coxim plantar e a pele do nariz devem ser cor-de-rosa, os olhos podem ser azuis, âmbar ou ímpares, mas, como acontece com olhos de gatos brancos, espécies de olhos azuis são geralmente afetadas pela surdez.

GATO TURCO

Do mesmo modo que o anterior, sua domesticação começou há muitos anos na Turquia. Ele não apareceu na Europa senão em 1955, quando uma criadora inglesa, de viagem pela Turquia, decidiu levar para casa um casal que lhe fora presenteado, estabelecendo assim a raça no Ocidente. Esta não foi uma tarefa fácil, já que, visando a aumentar o número de reprodutores de sua criação, ela

GATO TURCO

teve que retornar à Turquia para conseguir novos gatos, os quais tiveram, na chegada à Grã-Bretanha, que permanecer meses em isolamento e observação. Em 1969, esta raça foi reconhecida pelo GCCF.

Esses gatos eram conhecidos inicialmente como gatos de Van, porque eles vieram originariamente de uma localidade do lago de Van no sudoeste da Turquia, mas na atualidade são oficialmente conhecidos como gato Turco. Em muitos aspectos, eles são semelhantes ao Angorá. O corpo é longo, mas robusto, com a cauda e as pernas de comprimento médio, e pés arredondados e bem delimitados, com dedos bem peludos. Os machos devem ser particularmente musculosos no pescoço e nos ombros. A cabeça deve apresentar a forma de cunha com orelhas bem aprumadas, grandes e retas, as quais estão implantadas razoavelmente próximas, e um nariz longo.

O pêlo deve ser longo, macio e sedoso na raiz com uma sobrecapa de lã e uma cauda bem peluda. A cor principal deve ser de um branco-giz, sem qualquer traço de amarelo, mas com marcas castanho-avermelhadas na face, que deve ter uma faixa branca; a cauda também apresenta cor castanha com anéis da mesma cor, ainda que mais escuros nos animais adultos e que podem ser de outra cor nos filhotes. As orelhas devem ser brancas; a ponta do nariz, o coxim plantar e o interior das orelhas serão cor-de-rosa suave.

Além de nadar, o gato Turco aprecia estar dentro da água, o que lhe tem valido o nome de gato nadador. Aprecia também tomar um banho, se a temperatura da água for a mesma do próprio corpo, em torno de 38°C. A menos que seja em dia claro, realmente quente, quando eles podem secar-se diretamente ao sol, eles devem ser rapidamente enxugados com uma toalha se estiverem molhados e não se deve permitir que fiquem molhados, a despeito do fato de que todos os gatos gostam de secar-se com a língua. O procedimento de secagem com a toalha, além de evitar que se resfriem, propicia um brilho à pelagem. Sem dúvida, o gato Turco é muito resistente na região do lago de Van, seu país de origem, onde neva durante seis meses do ano. São animais carinhosos e inteligentes, mas não é fácil conseguir um exemplar, uma vez que suas ninhadas são muito pequenas.

GATO MAPACHE DO MAINE

Não existe nenhum fundo de verdade na versão segundo a qual esta raça é resultado de cruzamento entre mapaches e o gato doméstico dos primeiros pioneiros americanos, já que um cruzamento desta natureza é biologicamente impossível. Ela provavelmente teve sua origem em cruzamentos incontrolados entre gatos domésticos americanos e gatos angorás ou outros de pêlo longo trazidos do Oriente por marinheiros da Nova Inglaterra. Esta raça era bem conhecida nos Estados do leste e foi vista freqüentemente em exposições no final do século passado e início deste. Mas o interesse por ela desapareceu por cerca de cinqüenta anos até o estabelecimento do Clube Central de Gatos do Maine em 1953. Este clube realiza anualmente em Skowhegan, durante o mês de maio, exposições exclusivamente reservadas ao gato de Maine. É um gato bastante grande, chegando mesmo a pesar cerca de 13 quilos, mas goza da reputação de ser bastante arisco.

Ele deve ser musculoso mas com uma cabeça pequena ou mediana, afilada, e com pernas e corpo longos; aparência de Angorá com orelhas grandes e olhos grandes, e ligeiramente inclinado para o nariz. As bochechas devem ser altas e o nariz firme e alinhado com o lábio superior; o nariz não deve apresentar fissura, mas, quando esta ocorrer, deve ser pequena. Uma face demasiado plana e um nariz exageradamente longo são considerados defeitos. O pêlo não é tão longo como no Persa, e o colarinho não é tão denso. É curto na base do pescoço, aumentando em comprimento na direção da cauda, a qual tem a forma de um penacho bruscamente cortado no extremo. É bastante longo no estômago e nos quartos, em que se forma um denso par de "calças". O gato Mapache do Maine apresenta os mais variados tipos de cor e desenho. Os olhos podem ser verdes ou combinar-se com a cor da pelagem. É muito mais fácil manter-se em boa condição o pêlo desse gato que o das demais raças de pêlo longo.

GATO TABBY MARROM DE PÊLO LONGO

O Tabby de pêlo longo, como seu parente de pêlo curto, apresenta o modelo básico tão comum a ponto de poder-se pensar que existem muitos gatos domésticos com a pelagem Tabby Marrom, mas na realidade apenas poucos

MAPACHE DO MAINE

TABBY MARROM DE PÊLO LONGO

deles preenchem as características requeridas nos concursos. Embora muito apreciados no passado, exemplares puros desta raça são vistos freqüentemente hoje em dia, e existem poucos criadores especializados. O Tabby é freqüentemente um animal muito atraente e goza da reputação de ser robusto, inteligente e afetivo.

A cor atual, que os criadores descrevem como um fulvo-marta, foi introduzida no final do século passado e proporciona um fino contraste com as densas marcas negras. O corpo deve ser maciço e alongado, como em todos os gatos do tipo Persa, com pernas e cauda curtas, cabeça ampla e arredondada, orelhas bem colocadas e providas de bastantes pêlos, um nariz curto e amplo, e bochechas cheias e arredondadas. Os olhos devem ser grandes, arredondados, cor de cobre ou de avelã. A pelagem longa e abundante, do mesmo modo que a cauda cheia, deve ter marcas bem definidas. O padrão britânico para esta raça especifica que ligeira pincelada preta deve aparecer na face; duas ou três linhas distintas cruzando as bochechas, duas linhas estreitas e contínuas cruzando o peito, marcas em forma de mariposa nos ombros, listas regulares nas patas dianteiras a partir dos dedos, bandas profundas e escuras cobrindo o dorso e os lados de cima para baixo e anéis regulares na cauda. Os espaços que delimitam a cor do fundo entre as marcas marrons têm que ser um pouco mais amplos que estas. Este padrão britânico não fez referência a espirais em forma de ostras nos lados, nem a listas, agrupando o modelo clássico e o Mackerel em uma só categoria. Nos Estados Unidos, contudo, os dois padrões constituem categorias distintas.

Como poucos criadores estão interessados em criar o Tabby Marrom de pêlo longo, não existem muitos machos reprodutores disponíveis, o que dificulta o cruzamento da fêmea Tabby com exemplares puros da mesma raça. Não é aconselhável utilizar um Tabby Prateado em vez do Marrom, já que semelhante cruzamento daria origem a exemplares de pelagem mais clara e com olhos de cor amarelo-esverdeado em vez de cor de cobre. O Tabby Vermelho é igualmente desaconselhado. Se não se encontrar um Tabby Marrom, o melhor será utilizar um Tabby Preto ou Azul-escuro. Alguns criadores cruzam um animal primeiro com um Tabby Azul e, posteriormente, voltam ao marrom de maneira que se aperfeiçoem as marcas. É preferível não cruzar um gato que tenha o lábio ou o queixo branco, embora seja aceita uma coloração ligeiramente mais clara nessas partes, pois trata-se de um defeito dos mais difíceis de serem eliminados.

GATO TABBY AZUL PERSA

Espécimes com pelagem azul aparecem às vezes, em condições naturais, em ninhadas de gatos Tabby Marrom e podem também ser produzidos pelo cruzamento entre Tabby Marrom e Tabby Azul-Liso, embora este procedimento não produza uma pelagem tão bonita como a que se obtém com o cruzamento entre animais desta variedade. Ela não é reconhecida como raça na Grã-Bretanha e é ainda rara nos Estados Unidos, a despeito de ter sido aceita na América desde 1962.

TABBY AZUL PERSA

TABBY PRATEADO DE PÊLO LONGO

O tipo deve preencher todos os requisitos do padrão Persa e a cor de fundo deve ser de um azul-marfim-pálido (incluindo lábios e queixos) com marcas de um azul-escuro contrastando profundamente com o fundo. Toda a pelagem deve apresentar uma ligeira coloração de veado novo. A pele do nariz deve ser cor-de-rosa envelhecido e o coxim plantar deve ser igualmente cor-de-rosa. Os olhos grandes e arredondados devem ser cor de cobre brilhante.

GATO TABBY PRATEADO DE PÊLO LONGO

Os melhores exemplares constituem-se de gatos particularmente belos, mas, a despeito de eles terem sido conhecidos desde o início da Cat Fancy, constituem uma variedade muito difícil de ser produzida de modo que são conservados um bom tipo e as marcas finas. O Persa Prateado deve apresentar todas as características do tipo Persa, com o corpo robusto com patas curtas e grossas, cauda curta e cabeça ampla e arredondada com um nariz curto, focinho amplo e orelhas pequenas bem separadas e fartamente cobertas de pêlos. Os olhos grandes e arredondados devem ser de cor verde ou avelã. A pelagem deve ser longa, densa e de textura sedosa, e com um colarinho ainda mais longo. A coloração de fundo deve ser de um prateado-pálido uniforme com marcas de cor preto-intenso. Qualquer mancha ou malha de coloração bronzeada é considerada defeito. Geralmente, gatinhos que nascem com marcas tabbies bem definidas não dão bons exemplares quando adultos. Os que nascem quase pretos, com marcas apenas nas pernas e nos flancos, desenvolvem seu padrão completo quando atingem de 4 a 6 meses de idade e freqüentemente tornam-se os exemplares mais charmosos.

GATO TABBY VERMELHO DE PÊLO LONGO

O gato Tabby Vermelho do princípio do século era de uma cor vermelho-ouro brilhante e, antes dessa época, havia sido descrito de forma mais precisa como gato alaranjado. Atualmente, a coloração requerida é de um tom vermelho intenso. Deve ter um corpo robusto e pernas curtas e grossas, típicas do Persa, com uma cabeça grande e arredondada, bochechas cheias, nariz curto e orelhas pequenas e peludas. A pelagem deve ser longa, densa e sedosa, com cauda curta sem coloração branca na ponta. Os olhos devem ser grandes e arredondados, e de cor de cobre-intenso. As marcas tabbies podem ser cor de mármore ou mackerel e na América do Norte existe uma categoria em separado para cada tipo de desenho da pelagem. Do mesmo modo que nas outras variedades tabbies, o padrão americano estabelece um grande número de detalhes e as marcas da cabeça e do pescoço devem juntar-se ao desenho, em forma de borboleta, que existe nos ombros. Muita gente acredita tratar-se de uma variedade exclusivamente de macho, o que não é verdade.

TABBY VERMELHO DE PÊLO LONGO

GATO TABBY CREME PERSA

Esta é uma variedade norte-americana; nenhum gato Tabby Creme de pêlo longo é reconhecido pelas associações britânica e européia. A coloração creme, geneticamente uma diluição do vermelho, não permite obter-se com facilidade um contraste bem evidente entre a coloração de fundo – que deve ser um creme bastante claro (incluindo os lábios e o queixo, que não devem ser brancos) – e as marcas, que devem ser beges ou de uma cor creme suficientemente escura para serem perfeitamente diferenciadas, mas mantendo-se dentro da mesma faixa de tonalidade. Ambas as variedades, marmóreo e mackerel, estão reconhecidas e nas exposições concorrem em duas categorias distintas. O nariz e o coxim plantar devem ser cor-de-rosa e os olhos grandes e redondos devem ser de uma tonalidade cobre-brilhante.

GATO VERMELHO UNIFORME DE PÊLO LONGO

O Persa Vermelho ou Vermelho Sólido, como é mais conhecido na América, era originalmente conhecido como Persa Alaranjado, e a coloração da pele era, efetivamente, mais um alaranjado-intenso que um vermelho-escarlate. Poucas pelagens perfeitas são vistas, pois as marcas tabbies freqüentemente persis-

TABBY CREME PERSA

VERMELHO UNIFORME DE PÊLO LONGO

tem, sobretudo na face e na cauda. Atualmente, uma escassez de fêmeas Vermelho-Sólido tem impedido o desenvolvimento do cruzamento de exemplares desta variedade, porém o cruzamento de fêmeas atartarugadas com machos Persa Vermelho (que darão machos pretos e vermelhos, e fêmeas atartarugadas ou vermelhas), ou de fêmeas Azul-Creme com machos Vermelho Persa sem o azul em seu genótipo (propiciam os mesmos resultados), deveria conduzir ao desenvolvimento de cruzas entre os indivíduos Vermelho Persa.

O Persa Vermelho unicolor deve ajustar-se às exigências comuns requeridas para os gatos de pêlo longo e deve ter olhos cor de cobre-intenso. A pelagem ideal deve ser de um vermelho-vivo uniforme e sem manchas.

GATO PERSA COM CARA DE PEQUINÊS

Esta raça de gatos não está reconhecida ainda na Grã-Bretanha, mas já disputa campeonatos nos Estados Unidos há mais de sessenta anos. Ela foi desenvolvida a partir de gatos Persa Vermelho Uniforme e Vermelho Tabby, os quais apresentavam bochechas muito grossas, e tem recebido este nome devido à semelhança de sua face com a do cão Pequinês, ao qual deve se parecer tão estreitamente quanto possível. A fronte deve ser alta com uma protuberância sobre o nariz, formando um desnível bem aparente. O nariz é tão curto que parece formar uma depressão ou mesmo fundir-se entre os olhos, e de perfil está escondido pelas bochechas. O focinho deve estar enrugado e uma dobra da pele parte do canto interno de cada olho para a borda externa da boca. As ore-

PERSA COM CARA DE PEQUINÊS

lhas são grandes e proeminentes, e os olhos, grandes e arredondados. Ambas as variedades de pelagens, vermelha e vermelha tabby, são reconhecidas na América. Como muitas vezes ocorre com o Pequinês, a seleção para este tipo de caráter facial pode causar problemas. Assim, se damos ênfase ao nariz curto, podemos ter dificuldades respiratórias, e os dentes da mandíbula inferior e superior podem coincidir completamente. A dobra da pele próxima dos olhos pode também provocar bloqueio nos dutos lacrimais. Os criadores devem tomar muitas precauções para evitar que as deformações se perpetuem, e o desenvolvimento deliberado desses caracteres em um grau extremo, com os perigos que lhes são inerentes, tem suscitado muitas críticas por parte dos veterinários.

O Persa com cara de Pequinês deve ajustar-se aos padrões estabelecidos para seus parentes Vermelho Uniforme e Vermelho Tabby, em todos os aspectos, exceto no que concerne à cabeça e ao pescoço. As crias nem sempre apresentam as características faciais completas até que alcancem vários meses de idade.

GATO CHINCHILA OU PERSA PRATEADO

Diz-se que o primeiro gato Chinchila foi obtido por um criador inglês em 1880, a partir de um cruzamento entre um Tabby Prateado e um Enfumaçado, mas o gato do século passado era muito mais escuro que o Chinchila da atualidade e mostrava marcas tabbies muito mais claras nas patas, o que hoje é considerado um defeito. Chinchila ou Persa Prateado, como eles são chamados por algumas organizações na América do Norte, são, ao nascer, quase sempre escuros e com marcas tabbies, especialmente na cauda. Essas características desaparecem durante o crescimento e um bom exemplar adulto deve apresentar uma subpelagem completamente branca com o extremo de cada pêlo do

CHINCHILA

dorso, do flanco, da cabeça, das orelhas e da cauda marcado de preto, dando uma aparência prateada. As patas podem estar ligeiramente sombreadas, mas os tufos do queixo, das orelhas, do estômago e do peito devem ser absolutamente brancos. Não deve existir nenhum matiz marrom ou creme nem marcas tabbies. A ponta do nariz deve ser vermelho-tijolo, o coxim plantar e a pele visível das pálpebras serão pretos ou marrom-escuros, o que propicia um contraste acentuado ao redor dos grandes olhos arredondados e muito expressivos, os quais devem apresentar uma coloração esmeralda ou azul-esverdeado.

A pelagem sedosa deve ser fina, densa e longa, especialmente na papada. O Chinchila deve ter um corpo compacto, patas curtas e grossas, próprias do tipo Persa, com a cabeça grande e arredondada, focinho largo e nariz quase imperceptível; as orelhas semelhantes às Pequinês e bem afastadas, que devem estar bem cobertas de pêlos; cauda curta e em penacho. O Chinchila é comumente menor que os outros gatos de pêlo longo e é quase sempre um gato de aparência mais fina e delicada que os demais membros do tipo Persa. Esta é pelo menos a expectativa britânica para esta raça, mas na América o padrão estabelece que ele deve ser tão maciço como as raças mais fortes, o que representa uma desvantagem em competições – embora isso não tenha impedido que os prateados ganhassem os primeiros postos nos concursos.

PERSA COM MATIZ PRATEADO

Esta variedade já não se conhece na Grã-Bretanha desde 1902, porque os juízes não podiam distingui-la dos primeiros Chinchilas. Sem dúvida, é ainda muito apreciada na América do Norte e é também reconhecida em outros lugares, inclusive na Austrália. Quando aparecem na mesma ninhada, os gatinhos Chinchila e os Persa com matizes prateados são muito difíceis de ser diferenciados. Comparada com o brilho prateado do Chinchila, a pelagem do Persa com matiz prateado tem uma aparência de estanho. O subpêlo é branco e o manto – nome dado pelo padrão americano para a área sombreada que cobre os lados, o dorso, os fiancos, a cabeça, as orelhas e a cauda – deve ter o extremo do pêlo marcado de preto (consideravelmente mais intenso que no Chinchila), variando gradualmente do escuro-preto no espinhaço para o branco no queixo, no peito e no estômago e na parte inferior da cauda. A cor das patas deve combinar com o tom da face. A pele do nariz deve ser vermelho-tijolo e o coxim plantar, preto. A parte visível da pele que contorna os olhos deve ser também preta, e os lábios e nariz devem ser contornados por uma linha preta. Os olhos devem ser grandes e arredondados de cor verde ou azul-esverdeado. Morfologicamente, deve ajustar-se às características do Chinchila.

PERSA PRATEADO MASCARADO

Esse padrão, reconhecido por algumas organizações, mas não pelo GCCF, parece-se em tudo com o Chinchila, exceto pelo fato de a face ser mascarada de uma cor muito escura, da mesma que o coxim plantar.

PERSA COM MATIZ PRATEADO

PELE DE CAMAFEU

CHINCHILA AZUL

Esta variedade não está ainda reconhecida e apresenta todas as características do Chinchila, exceto pelo fato de apresentar um manto manchado com azul-cinza em vez de preto, dando um efeito muito etéreo.

GATO PELE DE CAMAFEU (SHELL CAMEO)

Os gatos de pelagem cor-de-rosa apareceram ocasionalmente em ninhadas resultantes de cruzamento não-controlado, porém, na atualidade, o gato Camafeu deve sua presença nas exposições americanas a um cuidadoso programa de cruzamento planejado que teve início nos anos 50 e foi pela primeira vez reconhecido nos Estados Unidos como uma raça definida em 1960. Contudo, não conseguiu ainda alcançar a condição de raça na Grã-Bretanha. Este gato vermelho com uma subpelagem prateada tem sido produzido de cruzas entre o Chinchila e o Persa Vermelho unicolor (vermelho-sólido). Uma das razões para seu lento desenvolvimento na Grã-Bretanha é exatamente a escassez de bons exemplares do Persa Vermelho unicolor e, naquele país, gatos cremes (creme é uma diluição do vermelho) têm sido usados, mas o resultado desse cruzamento não é aceito na América.

O aspecto geral é o dos demais gatos de pêlo longo, mas os criadores dão uma importância muito grande a uma boa coloração de pelagem. Sua pelagem, que é a mais pálida dos camafeus, deve ter uma subpelagem de cor branco-marfim, segundo o padrão americano. Na Grã-Bretanha, ela deve situar-se entre o branco e um creme muito claro. Cada pêlo do manto na extensão do dorso, dos flancos, da cabeça, da orelha e da cauda deve estar ligeiramente salpicado de vermelho. Na Grã-Bretanha, a capa pode apresentar um salpicado de creme em vez de vermelho. A face e as patas podem estar ligeiramente sombreadas, mas o queixo, os pêlos das orelhas, do estômago e do peito e parte inferior da cauda não devem apresentar nenhum sinal de pontos ou barras. A pele do nariz, o coxim plantar e as bordas dos olhos devem ser cor-de-rosa. Os olhos devem ser cor de cobre-intenso. Uma das dificuldades encontradas na utilização de Chinchila para o desenvolvimento desta raça repousa na consistência da coloração verde dos olhos. Por esta razão, gatos Persas Enfumaçados têm sido utilizados como recurso alternativo, mas não produzem uma pelagem tão fina e lustrosa como a dos Chinchila.

GATO CAMAFEU SOMBREADO

É uma variedade mais escura do Pele de Camafeu com a mesma subpelagem branca; o queixo, o pêlo da orelha, do estômago, do peito e da parte inferior da cauda devem ser brancos, enquanto o manto deve apresentar os mesmos pontinhos vermelhos. A pele do nariz e a borda dos olhos devem ser cor-de-rosa e os olhos, cor de cobre-intenso.

CAMAFEU ENFUMAÇADO

É o mais escuro dos Camafeus, no que concerne ao tipo, e a distribuição das cores é idêntica à do gato Pele de Camafeu e ao Camafeu Sombreado, porém os pontos são tão intensos que a pelagem toma a aparência de completamente vermelha (ou, talvez, toda creme na Grã-Bretanha) quando o animal está parado, mas em movimento a pálida subpelagem é revelada e cria um efeito de cor rosada ondulante. O Camafeu Enfumaçado, chamado de Vermelho Enfumaçado na América pela CFA, é descrito de forma variada pelos diferentes padrões, como tendo uma subpelagem branca, branco-marfim ou entre o marfim e o creme-claro, e, como os outros Camafeus, tanto os pontos vermelhos como os creme do manto são permitidos na Grã-Bretanha; os olhos devem ser cor de cobre, e a pele do nariz e da borda dos olhos de cor rosa.

TABBY CAMAFEU

Ainda que em um Camafeu as marcas tabbies sejam consideradas um defeito, a pelagem tabby nesta variedade está reconhecida dentro do grupo dos Exóticos de pêlo curto e por algumas associações para os tipos Americano de pêlo curto e Persa.

CAMAFEU ATARTARUGADO

Este modelo de Camafeu é reconhecido pela maioria dos organismos oficiais americanos. O padrão requer uma subpelagem branco-prateada com pontilhado de preto ou azul, e de vermelho ou creme para produzir um desenho, assemelhado ao padrão atartarugado. Salvo no que concerne à cor, ele deve apresentar as demais características das outras variedades de Camafeu.

GATO PRETO DE PÊLO LONGO

Esta talvez seja a mais antiga das raças puras de pêlo longo. Harrison Weir, organizador da primeira exposição felina britânica em 1871, descreve-a como "a mais procurada e a mais difícil de obter". Um preto puro é difícil de obter porque um único pêlo branco se destaca sobre a pelagem, e, sob certa iluminação, muitos gatos pretos revelam barras e linhas sobre o corpo ou sobre a pata, as quais constituem um sério defeito nos concursos. Contudo, um gatinho de pelagem cinzenta ou ferrugem e inclusive com alguns pêlos brancos pode converter-se em um adulto de pelagem perfeitamente preta. De fato, a maioria dos exemplares nasce com uma cor pouco interessante e não apresenta uma bela pelagem senão após os 6 meses de idade. Freqüentemente, eles não aparentam sua melhor condição até a segunda pelagem, aos 12 ou 18 meses de idade.

CAMAFEU ENFUMAÇADO

CAMAFEU ATARTARUGADO

GATO PRETO DE PÊLO LONGO

Além de uma pelagem lustrosa e preta, o Persa negro deve ter olhos grandes arredondados e bem abertos, com cor de cobre ou alaranjado-intenso. Os olhos não devem apresentar nenhum traço de verde, defeito que os criadores encontram muita dificuldade para eliminar.

A radiação solar e a umidade podem afetar a coloração da pelagem. Prolongados períodos de banho de sol ou mesmo o hábito de lamber-se demasiadamente podem resultar em um matiz marrom que também pode aparecer durante a muda.

Muitos criadores acreditam que a raça possa ser melhorada mediante cruzamentos ocasionais com o Persa Azul e muitos campeões contam com um Azul em seus parentes próximos. A introdução de um excesso do sangue do Persa Azul pode conduzir a um clareamento da pelagem. Machos obtidos de cruzamento azul e preto não são geralmente utilizados para a reprodução de gatos de raça. O preto pode ser usado para a criação do atartarugado, de calimancos, brancos e bicolores.

O gato Persa preto exige muitos cuidados antes de ser apresentado em exposições. Xampu em pó ou seco apaga o brilho da pelagem se não for removido completamente; por isso, muitos expositores banham seus gatos em um sabão ou xampu apropriado cerca de uma semana antes da exposição. Massageando-se a pelagem com um pano de seda ou com pele de camelo, pode-se melhorar seu brilho e também remover alguns pêlos brancos, uma vez que estes são geralmente de uma textura mais áspera que o resto da pelagem.

PERSA AZUL

O Persa Azul deve ajustar-se às exigências estabelecidas para os animais de pêlo longo e deve ter olhos cor de cobre. Sem dúvida, todos os matizes de azul são permitidos para sua pelagem, desde que a coloração seja uniformemente distribuída. Tons mais pálidos são freqüentemente preferidos consoante o estabelecido no padrão americano, contudo uma tonalidade mais escura e uniformemente distribuída até a raiz do pêlo é mais aceitável que uma mais clara e mal distribuída. O padrão canadense prefere um sombreado mais claro com a condição de que o animal se ajuste completamente ao tipo, e requer que este apresente um nariz curto e chato.

Muitos gatos apresentavam uma papada mais clara que o resto da pelagem, e isso era tão difícil de ser evitado que o padrão britânico inclui uma nota encorajando os criadores a exibirem em exposições seus gatos, ainda que eles não se ajustassem completamente ao padrão. Atualmente, a criação orientada tem melhorado substancialmente os exemplares desta variedade, fazendo com que atendam às exigências deste padrão, e aquela nota de encorajamento perdeu sua utilidade, não sendo, pois, mais aplicada.

Freqüentemente, os Persas Azuis são utilizados para melhorar o tipo e a coloração dos olhos das outras variedades de pêlo longo e constituem-se num fator essencial na criação do Persa Azul-Creme. Ao nascer, os gatinhos azuis apresentam freqüentemente marcas tabbies, especialmente nas patas, que todavia desaparecem à medida que os pêlos crescem, e um exemplar que apresente marcas intensas pode tornar-se, ao atingir a idade adulta, um espécime da mais perfeita pelagem. Gatinhos de pelagem azul-clara ocorrem ocasionalmente em ninhadas de Persa Branco.

PERSA BRANCO DE OLHOS AZUIS

Esta variedade deve ter uma pelagem de cor branca pura e olhos de intenso azul-safira. Ela foi desenvolvida a partir de gatos Angorá, que foram os primeiros de pêlos longos trazidos para a Europa. Muitos exemplares apresentam um nariz mais longo, uma cabeça mais estreita, orelhas mais altas e corpo mais longo que o desejável num moderno gato de pêlo longo. A coloração dos olhos é também difícil de ser conseguida, uma vez que gatinhos com olhos azuis podem muito bem ter olhos verdes quando se tornarem adultos, ou ainda, desenvolver um olho verde e outro azul. Os cruzamentos entre gatos de olhos perfeitamente azuis não constituem garantia da correta coloração dos olhos da ninhada.

Os Persas Brancos de olhos azuis têm geralmente ninhadas reduzidas e suas crias são freqüentemente delicadas. Registrou-se também uma diminuição em seu número até que se introduziram, nos programas de cruzamento desses

PERSA AZUL

BRANCO DE OLHOS ALARANJADOS e, nos quadros, da esquerda para a direita, as variações PERSA BRANCO DE OLHOS AZUIS e o BRANCO DE OLHOS ÍMPARES.

últimos anos, os Persas do tipo Azul, Branco de olhos ímpares e Branco de olhos alaranjados.

Os gatos brancos de pêlo longo com olhos azuis são quase sempre surdos. Parece existir uma ligação genética entre a coloração dos olhos e uma alteração patológica na cóclea em gatos brancos. Mas, se um gatinho apresenta um ligeiro sinal de uma coloração mais escura, ainda que desapareça durante o crescimento, tem a possibilidade de não estar afetado. Esse fator de surdez tem encorajado o emprego, nos programas de cruzamento, de gatos com olhos de cor diversa. Devem ser evitados os cruzamentos entre animais surdos. Têm sido registrados casos de gatos de olhos azuis, surdos de nascimento, que adquirem a audição durante o crescimento.

Em geral, os gatos brancos são muito limpos mas não podem evitar que seus pés e coxim plantar se sujem de terra, necessitando, pois, que sejam lavados em água morna e sabão quando se preparam para uma exposição. As marcas amarelas causadas pela gordura podem ser prejudiciais à beleza dos animais, e os machos, particularmente, podem requerer um penteado extra e uma limpeza com xampu seco para remover tais manchas.

PERSA BRANCO DE OLHOS ALARANJADOS

Esta variedade desenvolveu-se quando se começou a cruzar o tipo branco de olhos azuis com outros gatos de pêlo longo que tinham olhos alaranjados. A princípio, as duas variedades foram expostas numa mesma classe, mas os gatos de olhos alaranjados quase sempre demonstraram ser um tipo superior e foram reconhecidos como uma raça em separado na Grã-Bretanha, em 1938. Na América do Norte, eles já o haviam sido no final do século passado.

Os gatos de olhos alaranjados não sofrem da surdez que afeta os brancos de olhos azuis e a cor dos olhos é mais previsível. Esta variedade pode provir de cruzas efetuadas com gatos de outras cores, o que é capaz de produzir ninhadas misturadas, e cruzamentos com Persa Azul são freqüentemente realizados para melhorar uma linhagem.

PERSA BRANCO DE OLHOS ÍMPARES

Embora reconhecida como raça e portadora de um número de registro de raça pelo GCCF, em 1968 o Persa Branco de olhos ímpares não havia alcançado ainda o título de campeão na Grã-Bretanha, mas na América tem sido amplamente reconhecido desde os princípios dos anos 50.

Com exceção de um ou dois casos isolados, parece que os gatos brancos são os únicos a apresentar o fenômeno da coloração diferente em cada olho do mesmo animal. Ele aparece em ninhadas de gatos de olhos azuis e de olhos alaranjados e é extremamente valioso para os criadores de gato branco de olhos azuis porque não são portadores do fator associado à surdez, embora tenha se admitido que alguns deles possam ser surdos do lado correspondente ao olho azul.

PERSA CREME

PERSA CREME

O Persa Creme parece provir de cruzamentos entre azuis e vermelhos, mas é também possível que tenha sido desenvolvido a partir de Vermelho muito pálido. Era também conhecido como Persa Fulvo na época em que sua pelagem era muito mais escura que o aceito atualmente – hoje o padrão requer que ele apresente uma cor pálida para o creme-médio (muitos deles têm uma coloração demasiadamente forte, quer dizer, demasiadamente próxima ao vermelho), o qual é puro e de distribuição uniforme, sem sombras nem marcas. Como todos os persas, seu corpo deve ser maciço e rechonchudo, apoiado sobre patas robustas. A cabeça grande e redonda apresenta um nariz curto e amplo, bochechas arredondadas e grandes, orelhas pequenas e bem instaladas. Os olhos grandes e redondos devem ser cor de cobre-intenso, e a pelagem, longa, densa e sedosa, com a cauda curta e bem coberta de pêlos. A pelagem tende a escurecer ligeiramente antes da muda e é necessário penteá-la regularmente para remover os pêlos que caem, mantendo-a com uma aparência creme-clara.

Há uma tendência para existirem mais machos de cor creme que fêmeas. Se um macho azul é cruzado com uma fêmea azul-creme, a ninhada pode incluir machos creme e azuis, mas as fêmeas serão azuis e azul-creme. Fêmeas creme podem ser produzidas só pelo cruzamento de machos creme com fêmeas creme ou azul-creme, ou pelo cruzamento do macho vermelho uniforme portador do fator azul com fêmeas atartarugadas, também portadoras deste fator, e ainda cruzando-se machos de vermelho uniforme portadores do fator azul com fêmeas creme ou azul-creme.

PERSA AZUL-CREME

Esta raça, produzida originalmente a partir do cruzamento entre o azul e o creme, constitui um tipo Persa excelente, já que as duas raças que contribuíram para sua formação caracterizam-se por estar mais próximas das exigências estabelecidas para os gatos de pêlo longo. A pelagem densa, macia e sedosa deve consistir em uma mistura de sombras de tom azul e creme discretamente entremeadas, consoante estabelece o padrão britânico, dando a impressão de um tecido de seda de diferentes cores com reflexos (furta-cor). Nenhuma dessas cores deve formar mancha claramente definida. Na América do Norte, o padrão estabelece exatamente o contrário. O azul e o creme devem ser nitidamente separados sob a forma de manchas bem definidas, considerando-se a mistura como um defeito. Um bom exemplar americano desta raça é azul com manchas de cor creme distribuídas uniformemente pelo corpo, cauda, patas e face. Na prática, são preferidos os gatos que apresentam manchas creme em pelo menos três patas, focinho meio marrom, meio azul e nariz e fronte de diferentes cores. Uma faixa creme corrente para baixo a partir da fronte é, particularmente, preferida em ambos os lados do Atlântico, e os olhos devem ser grandes, redondos, cor de cobre ou alaranjado-escuro.

Os gatos Azul-Creme são quase sempre fêmeas e os raros machos são invariavelmente estéreis. Esta coloração pode aparecer tanto entre os componentes de ninhadas atartarugadas como nos cruzamentos entre azul e creme. Uma fêmea Azul-Creme acasalada com um macho creme pode produzir fêmeas azul-creme, machos azuis e espécimes creme de ambos os sexos. Já quando cruzada com o azul, a ninhada pode incluir fêmeas azul-creme, machos creme e tanto machos como fêmeas azuis.

PERSA ENFUMAÇADO

A origem desta variedade é incerta, mas já era conhecida há mais de um século, quando se pensava que resultasse de cruzamentos casuais entre pretos, brancos e azuis, e uma outra teoria sugere que tenha tido sua origem no Chinchila. O padrão britânico descreve esta raça como "gato de contrastes", em que a cor da subpelagem deve ser "o mais branco-cinza possível, com o extremo dos pêlos tisnados de preto, sendo as marcas escuras aparentes no dorso, na cabeça e nos pés; e as marcas claras aparecendo na papada (colar), nos flancos, nos tufos das orelhas". O corpo deve ser robusto e maciço mas não grosseiro, com patas curtas, cauda curta e espessa, e cabeça ampla e arredondada, com um nariz chato e orelhas pequenas peludas e implantadas bem separadas. Os olhos

PERSA AZUL-CREME

PERSA ENFUMAÇADO

são grandes e redondos, e devem ser alaranjados ou cor de cobre. A pelagem longa, densa e sedosa deve ser preta no dorso, sombreada de prata nos lados, nos flancos e na máscara. Os pés devem ser pretos sem marcas. Os longos pêlos do colar e dos tufos das orelhas devem ser prateados. Quando o gato adulto está em movimento, a subpelagem branca deve tornar-se claramente visível. Os gatinhos nascem pretos ou azuis e a subpelagem não aparece até cerca de 3 semanas de idade. Ao principiar a idade adulta, as pontas dos pêlos podem clarear, enquanto as raízes podem tornar-se mais escuras, porém a segunda pelagem surge com as características do tipo claramente definidas. O penteado freqüente é necessário para impedir que pêlos velhos obscureçam a subpelagem e permitir que esta apareça através da densa pelagem preta.

PERSA ENFUMAÇADO AZUL

Teve sua origem nos cruzamentos entre azuis enfumaçados e deve ser idêntico ao Persa Enfumaçado, salvo no que concerne ao colorido dos pêlos, que deve ser azul em lugar de preto. Deve apresentar o mesmo contraste entre as cores, e os olhos serão alaranjados ou cor-de-cobre.

PÊLO LONGO BICOLOR (PARTI-COLOURED PERSIAN)

Os gatos bicolores ou parcialmente coloridos, como são conhecidos às vezes na América, foram reconhecidos na Inglaterra em 1966 com o *status* de *championship*, e são também reconhecidos pela Cat Fanciers Association nos Estados Unidos, mas ainda não são aceitos por outras organizações. No início, o padrão britânico exigia que o gato fosse marcado como no coelho holandês, mas este critério, semelhante ao que acontecera a seu primo de pêlo curto, foi alterado em 1971, permitindo uma distribuição menos estrita das cores. Como todos os Persas, esta variedade deve possuir um corpo maciço e rechonchudo – realmente um gato bicolor é um gato grande – com patas grossas e curtas, e com uma cauda curta. A cabeça é arredondada e larga, com orelhas pouco espaçadas, bem situadas e com tufos de pêlos. O nariz deve ser curto e largo, e as bochechas, cheias. O focinho deve ser largo e o queixo firme. Os olhos, grandes e redondos, devem ser de uma coloração laranja-profunda e bem separados. A pelagem deve ser de uma textura sedosa e longa, harmoniosa, com comprimento extra na cauda e no babado.

De acordo com o padrão britânico atual, a pelagem do bicolor pode ser qualquer coloração firme e branco, as manchas de cor devem ser claras, uniformes e bem delimitadas. A parte colorida não deve ultrapassar mais que dois terços da superfície da pelagem e não pode ter mais da metade de cor branca. A face deve apresentar mancha colorida e branca.

PÊLO LONGO BICOLOR

PÊLO LONGO ATARTARUGADO

PÊLO LONGO ATARTARUGADO (TORTOISESHELL PERSIAN)

Os gatos tricolores existem há séculos, originados dos acasalamentos feitos ao acaso, mas não é um gato fácil de ser obtido intencionalmente. Como os gatos atartarugados são quase sempre fêmeas e os raros machos nascem invariavelmente estéreis, o cruzamento entre animais semelhantes não é possível e os acasalamentos são realizados com um macho com uma pelagem de coloração própria. Uma fêmea atartarugada pode produzir várias ninhadas sem um único filhote de sua cor, e a tentativa de se produzir um gato atartarugado, partindo de cruzamentos não consangüíneos de gatos que apresentem as cores de um atartarugado, tem poucas chances de sucesso. Dos gatos atartarugados de pêlo longo que existem atualmente, muitos possuem as características do Tabby ou outras características que os tornam desqualificados para os concursos.

O corpo deve ser rechonchudo e maciço, como todos os pêlos longos, com patas curtas, e com cabeça larga e arredondada; bochechas cheias e redondas, com nariz curto e largo e orelhas pequenas, peludas e bem separadas. Os olhos, grandes e redondos, devem ser de cor laranja-intenso ou cor de cobre. A pelagem deve ser longa e harmoniosa, com comprimento extra na cauda e no babado. Tanto o padrão britânico como o americano exigem três cores na pelagem – preto, vermelho e creme – bem repartida em manchas – e as cores devem ser brilhantes e ricas. À mistura de cores, os pêlos brancos com as marcas tabbies são considerados indesejáveis e o preto não deve ser a cor predominante.

As cores devem ser bem delimitadas na face, e uma mancha creme ou vermelha no rosto, percorrendo do nariz para a testa, é especialmente preferida.

ATARTARUGADO E BRANCO DE PÊLO LONGO
(TORTOISESHELL-AND-WHITE LONG-HAIR)

O gato atartarugado e branco de pêlo longo, também conhecido na América do Norte como gato calimanco, tem as manchas coloridas de um gato atartarugado misturado com o branco, mas os padrões variam de associação a associação. O regulamento britânico exige preto, vermelho e creme, misturados com branco bem delimitado, mas na América do Norte a Cat Fanciers Association especifica um gato branco com manchas não mescladas de preto e vermelho, com o branco predominando nas partes baixas. A National Cat Fanciers Association aceita "preto e vermelho e/ou creme com manchas claras bem delimitadas", e a American Cat Fanciers Association fornece a seguinte descrição em detalhe: a cabeça, o dorso, os flancos e a cauda devem conter preto, vermelho e creme, com manchas bem delimitadas e definidas. A forma de um atartarugado e branco deve ser semelhante a um gato atartarugado, como se tivesse sido mergulhado numa vasilha de leite. As pernas, as patas e toda a parte baixa e a metade dos flancos devem ser brancas. O branco do "leite" deve ter

ATARTARUGADO E BRANCO DE PÊLO LONGO

salpicado o nariz e a metade do pescoço. Esta raça deve possuir uma pelagem longa e harmoniosa, corpo rechonchudo e uma cabeça arredondada e larga do tipo Persa, olhos redondos e grandes que devem ser de coloração alaranjada ou de cobre.

ATARTARUGADO AZUL E BRANCO DE PÊLO LONGO

As gatas atartarugadas e brancas de pêlos longos cruzadas com machos bicolores Azul e Branco produziram um gato colorido bastante atrativo, que ainda não foi reconhecido e nenhum padrão oficial foi publicado ainda.

PÊLO LONGO MARROM (BROWN LONG-HAIR)

Esta variedade experimental ainda não foi reconhecida como raça, mas foi produzida pela primeira vez em 1961, do cruzamento de uma gata Havana com um Azul de pêlo longo. É do tipo Persa, com uma pelagem rica em marrom-castanho, que modifica para uma coloração castanho-amarelada imediatamente antes da muda. Os olhos devem ser alaranjados ou cor de cobre.

PÊLO LONGO LILÁS (LILAC LONG-HAIR)

Outra variedade que ainda está aguardando reconhecimento é o gato de pêlo longo típico, com pelagem marrom-arroxeada e olhos alaranjados.

SEAL COLOURPOINT (SEAL HIMALAYAN)

Os acasalamentos ao acaso têm produzido, ocasionalmente, gatos siameses com pêlos mais longos que os normais e as criações controladas realizadas na Suécia na década de 20, na América no início dos anos 30 e na Inglaterra, um pouco antes da Segunda Guerra Mundial, eram tentativas para a criação de um tipo combinado do Persa com o Siamês. No entanto, os criadores não tiveram sucesso no estabelecimento de uma nova variedade. A maioria dos gatos assim criados era Siamês de pêlo longo, e só em fins dos anos 40 é que houve um progresso real na transferência de marcas do Siamês para o tipo Persa.

O cruzamento de gatos de pêlos longos com o Siamês produz filhotes que não se assemelham aos pais: possuem pêlos curtos e uma única cor; estes são geneticamente dominantes, embora possuam genes para pelagens longas e mar-

SEAL COLOURPOINT (SEAL HIMALAYAN)

cas do Siamês, que aparecem juntos em aproximadamente 1/16 dos cruzamentos posteriores. Para obter um tipo Persa, é também necessário um cruzamento não-consangüíneo com outros gatos de pêlo longo – método usado na Inglaterra – ou selecionar gatos muito próximos ao tipo desejado – gatos meio-himalaios podem ser empregados em programas de criação cuidadosamente controlados. Este último método foi utilizado principalmente pelos criadores americanos.

Por volta de 1955, a raça estava suficientemente estabelecida na Inglaterra para que a GCCF reconhecesse as variedades do marrom-escuro (Seal) e marcas azuis (Blue Point) sob o nome de Colourpoint (a utilização de pêlos longos Preto e Azul para produzir o tipo desejado já tinha sido reconhecida antes). O primeiro reconhecimento da raça aconteceu na América em 1957, sob o nome de Himalayan (Himalaio). Os padrões ingleses e norte-americanos são muito semelhantes e exigem um gato tipo Persa com um corpo atarracado, cabeça baixa com face curta e nariz curto, terminado abruptamente, bochechas bem desenvolvidas e orelhas pequenas peludas e bem separadas. Qualquer semelhança morfológica com o tipo Siamês, particularmente o nariz estreito e comprido, é considerada incorreta e indesejável.

A pelagem deve ser comprida, espessa e macia na textura, e com um babado cheio. O corpo do Seal Point deve ser de cor creme com marcas marrom-escuras como no Siamês Seal Point. Os olhos grandes e redondos devem ser de cor azul-brilhante. A pele do nariz e dos coxins plantares de todos os Himalaios deve combinar com a cor de suas marcas.

COLOURPOINT AZUL
(BLUE COLOURPOINT OU BLUE POINT HIMALAYAN)

Assim como o Seal Colourpoint, o Colourpoint Azul foi reconhecido pela primeira vez em 1955, e se parece em tudo com o primeiro, exceto pela pelagem, que deve ser de um branco-glacial no corpo, com marcas azuis semelhantes às do Siamês Blue Point. Tanto no Seal como no Colourpoint Azul, a cor do corpo pode apresentar-se um pouco mais escura após a segunda muda de adulto.

COLOURPOINT CHOCOLATE (CHOCOLATE COLOURPOINT OU CHOCOLATE POINT HIMALAYAN)

O Chocolate Point é idêntico a outros Colourpoint, com a exceção das extremidades, que devem ser de uma cor achocolatada mais branda que no Siamês Chocolate Point, e o corpo é de um marfim com algumas sombras que se combinam com a cor das marcas. Para produzir esta coloração, foram utilizados os cruzamentos não-consangüíneos entre os gatos Siamês Chocolate Point e Marrom de Havana de pêlo curto.

COLOURPOINT AZUL

COLOURPOINT CHOCOLATE

COLOURPOINT LILÁS

COLOURPOINT LILÁS (LILAC OU FROST POINT HIMALAYAN)

Produzido depois do Colourpoint Chocolate, esta variedade combina os fatores chocolate com o azul. A pelagem do corpo deve ser da cor de magnólia com sombra lilás restrita às marcas como nas outras variedades. Tanto no Colourpoint Chocolate como no Lilás a cor pálida do corpo permanece por toda a vida do gato e a pelagem não escurece com a idade, que é a característica de outras colorações.

COLOURPOINT VERMELHO (RED POINT HIMALAYAN)

O Colourpoint Vermelho deve ser idêntico a outras variedades de cor, exceto pelo corpo, que deve ser branco, entrecortado com marcas vermelhas, e o rosto deve apresentar marca vermelha bem definida. Colourpoint creme (forma diluída do vermelho) também é criado atualmente, mas ainda não foi incluído no padrão britânico.

COLOURPOINT ATARTARUGADO (TORTIE COLOURPOINT OU TORTIE POINT HIMALAYAN)

O corpo do Colourpoint Atartarugado deve ser de coloração creme. Em relação a outros aspectos, ele é idêntico a outras variedades de cor, exceto pelo

COLOURPOINT VERMELHO

COLOURPOINT ATARTARUGADO

fato de que o padrão britânico aparentemente limita a mistura da coloração para o rosto, pois especifica que "as marcas coloridas do Point Atartarugado devem limitar-se à cor base Seal; tonalidades do corpo, se existirem, devem combinar-se com a cor das marcas".

BALINÊS SEAL POINT

O Balinês é atualmente um gato Siamês com o pêlo mais comprido. Esta variedade foi desenvolvida pelos criadores americanos. Estes encontraram gatinhos mutantes de pelagem mais longa que nos siameses normais, e esta característica era transmitida quando cruzados entre si. Os criadores de Siamês típico protestaram pelo fato de eles serem chamados de Siamês de pêlo longo, uma vez que o termo Siamês implica que o animal tenha aparência completa de um gato oriental, e foram então reconhecidos pela primeira vez em 1963 com o nome de Balinês e introduzidos na Inglaterra em 1974. Deve apresentar todas as características de um Siamês, exceto a pelagem, que deve ter 5 centímetros, ou mais, de comprimento. Deve ser um gato de aparência esbelta, elegante

BALINÊS SEAL POINT

embora musculosa. A cabeça longa deve ser de tamanho médio, afilada em forma de cunha a partir do nariz, projetando-se em linha reta até as orelhas, formando um triângulo, e sem uma alteração brusca na região dos bigodes. Os olhos são de tamanho médio, amendoados e oblíquos em relação ao nariz. O pescoço e os membros são longos e delgados, com membros posteriores mais compridos que os anteriores. As patas devem ser pequenas e ovaladas, e a cauda comprida e fina, afilando-se na ponta.

A pelagem deve ser fina e sedosa, com um tom uniforme contrastando com a cor densa e claramente definida do rosto; as marcas não devem ser mosqueadas nem brancas. A máscara deve cobrir toda a face, incluindo a base dos bigodes mas não deve estender-se até o topo da cabeça, embora possa estar unida às orelhas por finas linhas. O corpo do Seal Point Balinês deve ser de uma pelagem com coloração variando de um castanho-claro a creme, com a região do peito e do estômago mosqueada numa tonalidade mais clara. As marcas, a máscara e a pele do nariz devem ser de uma coloração marrom-escura intensa. Os olhos devem ser de um azul profundo e intenso.

BALINÊS AZUL POINT (BLUE POINT BALINESE)

Idêntico em tudo ao Balinês Seal Point, menos em cor, o Point Azul deve ter uma coloração branco-azulada de tonalidade fria, com o branco mosqueado na parte do peito e do estômago. As marcas devem ser de um azul profundo e a pele do nariz e os coxins plantares cinza-azulados. Os olhos devem ser de azul intenso como no Siamês verdadeiro. O Balinês não possui o colarinho característico dos gatos de pêlo longo.

BALINÊS CHOCOLATE POINT

Os padrões aplicados para o Chocolate Point são os mesmos aplicados às outras variedades do Balinês, exceto em relação ao corpo, que deve ser da cor do marfim sem nenhum mosqueado; as marcas com uma tonalidade quente de uma cor branco-chocolate, e a pele do nariz e as patas são vermelho-canela. Os olhos devem ser de um azul vívido profundo. O Balinês possui uma voz forte como o Siamês, mas tem a reputação de ser menos exigente com seus donos.

BALINÊS LILÁS POINT OU GLACIAL
(LILAC [FROST] POINT BALINESE)

O Lilás Point é idêntico a outras variedades de Balinês, exceto pela pelagem do corpo, que deve ser de um branco-glacial sem sombras, e as marcas e a máscara devem ser de uma coloração levemente rósea de um cinza-glacial. A pele do nariz e dos coxins plantares deve ser de uma coloração rosa-lavanda, e os olhos, de um azul vívido intenso. A pelagem da maioria dos balineses

BALINÊS AZUL POINT

tende a escurecer com a idade, mas mesmo assim deve existir um contraste bastante claro entre a coloração do corpo e as marcas.

BIRMANÊS SEAL POINT

Esta raça curiosa foi reconhecida na França em 1925, mas não foi introduzida na Inglaterra e nem nos Estados Unidos até meados de 1960, recebendo o reconhecimento da GCCF em 1966, e da Cat Fanciers Association na América em 1967. Supõe-se que a raça tenha sido introduzida na França em 1919, quando os sacerdotes de um templo da Indochina enviaram de presente um casal a dois soldados que os haviam auxiliado durante uma rebelião. O macho morreu durante a viagem, mas a fêmea estava grávida e assim a raça foi estabelecida na França. Esta raça é também conhecida pelo nome de Gato Sagrado da Birmânia, acreditando-se que era o tipo do gato guardado nos templos séculos atrás. De acordo com uma lenda corrente nos círculos felinófilos, na história do Khmer havia um gato branco no templo de Lao-Tsun, antes da chegada do Gautama Buda, que acompanhava o grande sacerdote nas cerimônias

BALINÊS CHOCOLATE POINT

BALINÊS LILÁS POINT (OU GLACIAL)

BIRMANÊS SEAL POINT

de adoração da deusa dourada de olhos azuis Tsun-Kyan-kse. O país foi vítima de uma invasão, e uma noite, enquanto os sacerdotes se reuniam para implorar orientação e proteção da deusa, morreu o grande sacerdote. Assim que o espírito do sacerdote abandonou seu corpo, o gato saltou sobre sua cabeça e os monges reunidos presenciaram como a pelagem se transformou na cor dourada da deusa e seus olhos mudaram para a cor azul-safira enquanto suas orelhas e patas tornavam-se da cor de uma terra fértil – exceto as partes onde tocavam os cabelos prateados do sacerdote, que tomaram uma cor prateada. O espírito do velho sacerdote tinha incorporado no gato e a deusa havia oferecido ao gato suas próprias cores. O gato voltou a cabeça em direção à entrada do templo, por onde podia-se ouvir a aproximação dos soldados. Animados pela manifestação da deusa, os monges repeliram os invasores e salvaram o templo. Mais tarde, outros gatos do templo também adquiriram as cores sagradas.

Você pode ou não acreditar nesta lenda, mas um Birmanês deve apresentar uma pelagem creme-dourada (o padrão britânico descreve-a como sendo bege levemente dourada), os olhos de cor azul-claro, a máscara, a cauda e as patas de cor marrom-escura; e a extremidade de cada pata com cor branca como se fosse uma luva. Os padrões norte-americanos e canadenses especificam que as luvas brancas nas patas anteriores devem terminar uniformemente na terceira falange, ao passo que nas posteriores a cor branca deve cobrir inteiramente as patas e terminar num ponto denominado "encaixe", que ascende por trás do jarrete.

A conformação do corpo não parece com a de outros gatos de pêlo longo. O corpo do Birmanês deve ser alongado e apoiado sobre membros curtos, com uma cauda longa. A cabeça deve ser larga, arredondada e forte, com bochechas cheias e ligeiramente planas na parte superior dos olhos. Os padrões norte-americanos também exigem um nariz do tipo romano de comprimento médio, com narinas bastante baixas. A pelagem deve ser longa com um colarinho cheio e uma cauda espessa. Deve ter também uma textura sedosa e levemente encaracolada no ventre. A pele do nariz deve combinar com a cor marrom-escura das marcas, e os coxins plantares devem ser róseos.

BIRMANÊS AZUL POINT

A variedade Birmanês de coloração Azul Point deve ser exatamente como o Birmanês Seal Point, exceto pela máscara, pelas orelhas e partes inferiores dos membros, que devem ser azul-acinzentado, e a pele do nariz, de um cinza-azulado. Todos os gatinhos birmaneses nascem com uma pelagem clara e as marcas mais escuras não aparecem até completarem algumas semanas de idade.

BIRMANÊS AZUL POINT

BIRMANÊS CHOCOLATE POINT

Todos os Birmaneses seguem o mesmo padrão exceto na coloração, e o Chocolate Point, ainda não reconhecido como uma raça na Inglaterra, deve apresentar marcas de uma coloração branda de leite com chocolate e o nariz de cor rosa-canela.

BIRMANÊS LILÁS POINT

O Birmanês Lilás Point, que aguarda seu reconhecimento como uma variedade separada na Inglaterra, difere de outros gatos birmaneses no que se refere a máscara, orelhas, cauda e partes baixas dos ombros, que devem ser de um cinza-glacial, e a pele do nariz deve ser rosa-lavanda. Os birmaneses possuem uma voz silenciosa e são muito inteligentes e afetuosos.

RAGDOLL (BONECA DE TRAPO)

Esta raça única, desenvolvida na Califórnia, em fins dos anos 60, é atualmente reconhecida pela National Cat Fanciers Association. Em sua aparência, os gatos Ragdolls são muito semelhantes aos Birmaneses, mas com um corpo mais pesado, cabeça mais larga e pelagem mais espessa, e, segundo o criador original, não necessita de escovação. As variedades Seal Point e Lilás Point desta raça também foram desenvolvidas e podem apresentar um nariz levemente mosqueado de branco e com a extremidade da cauda branca, embora não essencialmente. Entretanto, devem possuir as luvas e botas brancas de um Birmanês. Os gatinhos nascem com coloração branca e não obtêm sua coloração definitiva até alcançar a idade aproximada de 1 ano e meio. Apesar de sua coloração, esta variedade não tem parentesco com o Siamês e possui uma voz bastante suave.

Esta raça deriva de uma fêmea Persa branca que tinha sido bastante machucada num acidente de estrada. Aparentemente, todos os seus filhotes possuíam uma única característica. Eles são extremamente plácidos e fisicamente tão frouxos que praticamente ficam pendurados em seu braço como se fossem bonecas de pano. Parecem ter perdido toda noção de perigo e aparentam não sentir dor, o que os torna muito vulneráveis. Não se armam para a luta e são presas fáceis para outros animais, que podem matar um Ragdoll em questão de minutos. Podem até mesmo deitar-se no meio de uma via pública e dormir em seguida. De maneira alguma isso significa que sejam frágeis, mas devem ser mantidos afastados de animais estranhos ou crianças, que poderiam machucá-los, e outros perigos. Alterações de seu comportamento ou de seu estado geral devem ser observadas cuidadosamente para detectar os sinais de doença ou de lesões. A variedade Ragdoll tem sido descrita como "o gato que mais se assemelha a um bebê vivo real", mas sua natureza passiva e dependente pode pare-

BIRMANÊS CHOCOLATE POINT

BIRMANÊS LILÁS POINT

cer, para muitos amantes dos gatos, justamente o oposto das características de um felino que o tornam atraente.

A criação e a comercialização de Ragdolls são controladas cuidadosamente pela The International Ragdoll Cat Association, que procura manter uma estrutura de preço mínimo e limitar a proximidade dos criadores.

SOMALI

Há alguns anos, na América do Norte têm aparecido gatinhos de pêlo longo nas ninhadas de Abissínio. Muitos criadores ocultaram sua existência para não prejudicar sua reputação. Mas, atualmente, o interesse por esses gatos fez com que se reconhecesse como uma raça separada e conhecida por várias associações americanas como Somali. Geralmente, são maiores que um Abissínio de pêlo curto e aparecem em ambas as variedades de coloração: vermelho e avermelhado. A pelagem densa, de fina textura, pode ser ligeiramente mais curta nas costas, mas os tufos de pêlos das orelhas, das partes traseiras e do colarinho são desejáveis. Os olhos podem ser verdes ou dourados, mas devem ser intensos e ricos em cor. No Somali avermelhado, a pele do nariz é de coloração vermelho-ladrilhado e os coxins plantares são pretos ou marrom-escuros com o preto entre os dedos subindo até as patas posteriores. O Somali vermelho tem a pele do nariz vermelho-róseo e patas marrom-chocolate, inclusive nos espaços interdigitais.

SOMALI

O Somali é um gato afetuoso e muito vivo, com uma voz suave. Sua pelagem é sedosa e o pêlo não é entremeado, necessitando apenas ser penteado ocasionalmente, e dispensando cuidados de beleza rigorosos como na maioria dos gatos de pêlo longo.

CYMRIC

Nos fins dos anos 60, apareceram nas ninhadas de gatinhos Manx, nos Estados Unidos, um certo número de gatinhos de pêlo longo e com ausência de cauda, e a partir deles é que esta raça foi desenvolvida, embora ainda não fosse conferido o *status* de *championship*. Com exceção do comprimento do pêlo, o Cymric deve seguir o padrão do gato da ilha de Manx, particularmente não possuindo vestígio da cauda e com a concavidade definida no final da coluna vertebral, no lugar onde normalmente deveria começar a cauda. A região lombar deve ser alta e o dorso curto, com boa distância entre os flancos. A cabeça deve ser grande e redonda, com um nariz comprido e bochechas bastante salientes. As orelhas devem ser largas e afinando-se na extremidade. A pelagem pode ser de qualquer coloração ou forma estabelecida, mas a coloração dos olhos deve combinar com o resto do conjunto.

ÍNDICE ALFABÉTICO DAS RAÇAS

Os números em **negrito** referem-se às ilustrações.

Abissínio 113, **114**
　vermelho 115, **116**
Americano
　de pêlo curto 108, **109**
　de pêlo duro 110, **111**
Angorá 149, **150**
Atartarugado
　azul e branco de pêlo longo 176
　de pêlo curto 106, **107**
　e branco de pêlo curto **107**, 108
　e branco de pêlo longo 175, **176**
Azul-creme de pêlo curto 104, **104**
Balinês 182-3
　azul point 183, **184**
　chocolate point 183, **185**
　lilás point ou glacial 183, **185**
　seal point 182, **182**
Bicolor de pêlo curto 105, **106**
Birmanês 117-25, 184
　atartarugado 122, **123**
　azul 119, **120**
　azul-creme 122, **124**
　chocolate (champagne) 120, **121**
　chocolate-atartarugado 125, **125**
　creme 122, **124**
　lilás (ou platina) 120, **121**
　lilás-atartarugado (ou lilás-creme) 125, **126**
　marrom 117, **118**
　azul point 187, **187**
　chocolate point 188, **189**
　lilás point 188, **189**
　seal point 184, **186**
　vermelho 122, **123**
Bobcat **13**, 14

Bobtail japonês 143, **144**
Bombay 110
Ragdoll 188
Branco
　com olhos alaranjados e pêlos curtos 101
　de olhos azuis e pêlo curto 99-100
　de olhos desiguais e pêlo curto 101
Britânico azul 102, **103**
Camafeu 163-4
　atartarugado 164, **165**
　enfumaçado 164, **165**
　pele de camafeu **162**, 163
　sombreado 163
　tabby camafeu 164
Caracal 14, **15**
Serval 14
Chartreux 103
Chinchila (ou persa prateado) 160, **160**
　azul 163
Chita 12, **13**
Creme de pêlo curto 99, **99**
Cymric 191
Escocês de orelhas caídas 110, **111**
Exótico de pêlo curto 146, **147**
"Fumaça" de pêlo curto 105
Gato
　chinês do deserto 18
　da areia 16
　da baía 18
　da-montanha 17
　da selva (ou do pântano) 16
　de-cabeça-chata **15**, 17
　de Geoffroy 17

de Palla 17
de pata negra 16
doméstico 18-9
dos pampas 17
dourado africano 16
dourado de Temmincki **15**, 18
leopardo 18
manchado de ferrugem 18
marmoreado 18
pescador 18
selvagem africano 16
selvagem europeu **15**, 16
tigrado 17
Havana, gato de (Gato Marrom de Havana), 137, **138**
Ilha de Manx, Gato da 96, **97**
Jaguar 10, **11**
Jaguarundi **15**, 17
Jaguatirica **15**, 16
Korat 142, **142**
Leão 8, **9**
Leopardo **9**, 10
 das neves 10, **11**
 malhado **11**
Lilás exótico 139, **141**
Lince **13**, 14
Malhado 96
Maltês (de Malta) 103
Mapache do Maine 152, **153**
Margai 17
Mau egípcio 140, **141**
Ocicat 140
Pelado mexicano 88
Pêlo longo lilás 177
Pêlo longo marrom 176
Persa 154-62
 azul 167, **168**
 azul-creme 171, **172**
 branco de olhos alaranjados **168**, 169
 branco de olhos azuis 167, **168**
 branco de olhos ímpares 169
 com cara de pequinês 159, **159**
 com matiz prateado 161, **162**
 creme 170, **170**
 enfumaçado 171, **172**
 enfumaçado azul 173

pêlo longo atartarugado **174**, 175
pêlo longo bicolor 173, **174**
prateado mascarado 161
Preto de pêlo curto 101, **102**
Preto de pêlo longo 164, **166**
Puma 12, **13**
Rex 144-6
 alemão 145, 146
 Cornish 144, **145**
 de Devon **145**, 146
Russo azul **116**, 117
Seal colourpoint 177, **177**
 atartarugado 180, **181**
 azul 178, **179**
 chocolate 178, **179**
 lilás 180, **180**
 vermelho 180, **181**
Siamês 126-37
 albino 137
 atartarugado point 133, **134**
 azul point 130, **130**
 chocolate point 130, **131**
 colourpoint de pêlo curto 137
 creme point 136, **136**
 seal point 128, **129**
 tabby point (lynx point) 134, **135**
 vermelho point 132, **133**
Somali 190, **190**
Sphynx 88, **89**
Tabby 91-6, 152-7
 azul persa 154, **155**
 creme persa 157, **158**
 mackerel 92, **92**
 marrom de pêlo curto 93, **93**
 marrom de pêlo longo 152, **153**
 prateado de pêlo curto 94, **95**
 prateado de pêlo longo **155**, 156
 vermelho de pêlo curto 94, **95**
 vermelho de pêlo longo 156, **157**
Tigre 8, **9**
Tonkin, Gato de 137
Turco 150, **151**
Vermelho uniforme de pêlo longo 157, **158**

IMPRESSÃO E ACABAMENTO

YANGRAF
GRÁFICA E EDITORA LTDA.
TEL/FAX.: (011) 218-1788
RUA: COM. GIL PINHEIRO 137